Novela

Biografía

Julio Llamazares nació en el desaparecido pueblo de Vegamián (León) en 1955. Licenciado en Derecho, abandonó muy pronto el ejercicio de la abogacía para dedicarse al periodismo. Su obra abarca desde la poesía –*La lentitud de los bueyes* (1979) y *Memoria de la nieve* (1982) – hasta los libros de viajes –*El río del olvido* (Seix Barral, 1990), *Trás-os-Montes* (1988), *Cuaderno del Duero* (1999) y *Las rosas de piedra* (2008) –. También ha escrito varios guiones cinematográficos. Es autor de las novelas *Luna de lobos* (Seix Barral, 1985), *La lluvia amarilla* (Seix Barral, 1988), *Escenas de cine mudo* (Seix Barral, 1993), *El cielo de Madrid* (2005) y *Las lágrimas de San Lorenzo* (2013); y de los libros de relatos *En mitad de ninguna parte* (1998) y *Tanta pasión para nada* (2011). Su obra periodística ha sido recopilada en volúmenes como *En Babia* (Seix Barral, 1991), *Nadie escucha* (1995) o *Entre perro y lobo* (2008).

Julio Llamazares

La lluvia amarilla

Seix Barral

El papel utilizado para la impresión de este libro está calificado como **papel ecológico** y procede de bosques gestionados de manera **sostenible**.

Esta edición dispone de recursos pedagógicos en www.planetalector.com

Seix Barral, un sello editorial de Editorial Planeta, S. A.
Avda. Diagonal, 662-664, 08034 Barcelona (España)
www.seix-barral.es
www.planetadelibros.com

Diseño de la cubierta: Booket / Área Editorial Grupo Planeta
Ilustración de la cubierta: © Alex Greenshpun
Primera edición en esta presentación en Colección Booket: octubre de 2006
Segunda impresión: junio de 2007
Tercera impresión: junio de 2008
Cuarta Impresión: diciembre de 2008
Quinta impresión: junio de 2009
Sexta impresión: julio de 2010
Séptima impresión: junio de 2011
Octava impresión: enero de 2013
Novena impresión: junio de 2013
Décima impresión: junio de 2014
Undécima impresión: marzo de 2015
Duodécima impresión: marzo de 2016
Decimotercera impresión: mayo de 2017
Decimocuarta impresión: abril de 2018
Decimoquinta impresión: mayo de 2019
Decimosexta impresión: noviembre de 2019

Depósito legal: B. 24.869-2011
ISBN: 978-84-322-1747-0
Impresión y encuadernación: CPI (Barcelona)
Printed in Spain - Impreso en España

A Kerstin Ärlemalm

Ainielle existe.

En el año 1970, quedó completamente abandonado, pero sus casas aún resisten, pudriéndose en silencio, en medio del olvido y de la nieve, en las montañas del Pirineo de Huesca que llaman Sobrepuerto.

Todos los personajes de este libro, sin embargo, son pura fantasía de su autor, aunque (sin él saberlo) bien pudieran ser los verdaderos.

1

Cuando lleguen al alto de Sobrepuerto, estará, seguramente, comenzando a anochecer. Sombras espesas avanzarán como olas por las montañas y el sol, turbio y deshecho, lleno de sangre, se arrastrará ante ellas agarrándose ya sin fuerzas a las aliagas y al montón de ruinas y escombros de lo que, en tiempos, fuera (antes de aquel incendio que sorprendió durmiendo a la familia entera y a todos sus animales) la solitaria Casa de Sobrepuerto. El que encabece el grupo se detendrá a su lado. Contemplará las ruinas, la soledad inmensa y tenebrosa del paraje. Se santiguará en silencio y esperará a que los demás le den alcance. Vendrán todos esa noche: José, de Casa Pano, Regino, Chuanorús, Benito el Carbonero, Aineto y sus dos hijos, Ramón, de Casa Basa. Hombres endurecidos todos ellos por los años y el trabajo. Hombres valientes, acostumbrados desde siempre a la tristeza y soledad de estas montañas. Pero, a pesar de ello —y de los palos y escopetas de que, sin duda alguna, han de venir armados—, una sombra de miedo y de inquietud envolverá esa noche sus ojos y sus pasos. Contemplarán también por un instante las paredes caídas del caserón quemado y, luego, el lugar que alguno de ellos señalará ya con la mano en la distancia.

A lo lejos, frente a ellos, en la ladera opuesta de la montaña, los tejados y los árboles de Ainielle, ahogados entre peñas y bancales, comenzarán ya entonces a fundirse con las primeras sombras de una noche que, aquí, contra el poniente, llega siempre mucho antes. Visto desde la loma, Ainielle se cuelga sobre el barranco, como un alud de losas y pizarras torturadas, y sólo en las casas más bajas —aquellas que rodaron atraídas por la humedad y el vértigo del río— el sol alcanzará a arrancar aún algún último destello al cristal y a las pizarras. Fuera de eso, el silencio y la quietud serán totales. Ni un ruido, ni una señal de humo, ni una presencia o sombra de presencia por las calles. Ni siquiera el temblor indefinido de un visillo o de una sábana colgada en el frontal de alguna de cualquiera de sus múltiples ventanas. Ningún signo de vida podrán adivinar en la distancia. Y, sin embargo, los que contemplen el pueblo desde las altas campas de Sobrepuerto sabrán que, aquí, entre tanta quietud, entre tanto silencio y tantas sombras, yo les habré ya visto y estaré esperándoles.

Reanudarán la marcha. Pasadas las ruinas de la casa, el sendero continúa monte abajo, en dirección al valle, atravesando robledales y canchales de pizarra. Se estrecha en las pendientes, pegado a la ladera, como una gran culebra que se arrastrara en busca de la humedad cercana. A veces, lo perderán brevemente entre los matorrales. Otras, desaparecerá por completo, y durante largo trecho, bajo un espeso manto de líquenes y aliagas. Sólo yo lo he pisado en todos estos años. Caminarán, pues, en silencio, muy despacio, siguiendo fijamente al de adelante. Pronto llegará hasta ellos el rumor hondo del río. Una lechuza —quizá esta misma que ahora cruza mi ventana— elevará su grito entre los robledales. Definitivamente, la noche habrá caído y el que dirija al grupo encenderá su linterna y detendrá sus pasos. Todos los hombres le imitarán casi al instante. Como atraídos por una misma sombra, todos los ojos se clavarán en la espesura del barranco. Y, entonces, al contraluz amarillento y fantasmal de las linternas, mientras las manos buscan en silencio una vez más la caricia nerviosa de las armas, descubrirán entre los chopos la silueta del molino —erguido aún, a duras penas, sobre la podredumbre de la hiedra y el olvido— y, luego, al fondo, recortándose en el cielo, el perfil melancólico de Ainielle: ya frente a ellos, muy cercano, mirándoles fijamente desde los ojos huecos de sus ventanas.

El borbotón del río llenará sus corazones cuando vadeen la corriente por la vieja pontona de maderos y tierra apelmazada. Quizás, en ese instante, alguno piense en dar la vuelta y regresar sobre sus pasos. Pero será ya tarde. El camino se pierde con el río tras las primeras tapias y sus linternas habrán ya iluminado ese sórdido paisaje de paredes y tejados reventados, de ventanas caídas, de portones y cuadros arrancados de sus marcos, de edificios enteros arrodillados como reses en el suelo junto a otros incólumes aún, desafiantes, que yo ahora todavía puedo ver a través de la ventana. Y, entre tanto abandono y tanto olvido, como si de un verdadero cementerio se tratara, muchos de los llegados conocerán por vez primera el terrible poder de las ortigas cuando, adueñadas ya de las callejas y los patios, comienzan a invadir y a profanar el corazón y la memoria de las casas. Nadie, sino algún loco —pensará más de uno en ese instante—, puede haber resistido completamente solo tanta muerte, tanta desolación durante tantos años.

Durante largo rato, contemplarán el pueblo en medio de un silencio sepulcral. Todos ellos lo conocen desde antiguo. Alguno, incluso, tuvo familia aquí y recordará los tiempos en que subía a visitar a sus parientes por las fiestas de otoño o de la Navidad. Otros volvieron, ya en los años últimos, para comprar ganado y algunos muebles viejos cuando la gente comenzó a dejar el pueblo y se deshacía sin demasiadas exigencias, sin excesiva lástima ni ambición, de todo cuanto pudiera reportar algún dinero con el que empezar una nueva vida en la tierra baja o en la capital. Pero, desde que murió Sabina, desde que en Ainielle quedé ya completamente solo, olvidado de todos, condenado a roer mi memoria y mis huesos igual que un perro loco al que la gente tiene miedo de acercarse, nadie ha vuelto a aventurarse por aquí. De eso, hace ya casi diez años. Diez larguísimos años de total soledad. Y, aunque, de tarde en tarde, hayan seguido viendo el pueblo desde lejos —cuando suben al monte por leña o, en el verano, con los rebaños—, en la distancia, nadie habrá podido imaginar las terribles dentelladas que el olvido le ha asestado a este triste cadáver insepulto.

No les será, por tanto, nada fácil reconocer la casa. Sobre la imprecisión de los recuerdos, la ruina y la noche aumentarán aún más el desconcierto de sus ojos. Quizás alguno piense que lo mejor sería llamarme, romper la espesa niebla del silencio y dejar que sea la voz la que me busque tras tanta puerta abierta, tras tanto cristal roto, tras tanta densa sombra en cuya negación hundirá su memoria, igual que ahora, la negación indescifrable de la noche. Pero la sola idea bastará para asustarles. Gritar ahí fuera sería como hacerlo en mitad de un cementerio. Gritar ahí fuera únicamente serviría para turbar el equilibrio de la noche y el sueño vigilante de los muertos.

Decidirán, por ello, continuar mi búsqueda en silencio.

Recorrerán el pueblo muy cerca unos de otros, siguiendo a las linternas y dejando que el instinto suplante a los recuerdos allí donde éstos se muestren impotentes. Vagarán por las calles y los patios, aún sobre sus pasos, hasta que, al fin, después de muchas vueltas, después de múltiples paradas y rodeos, el murmullo de la fuente surja de entre las sombras a su encuentro. La encontrarán ahí, bajo un bosque de ortigas, cuajada de tristeza y lamas negras. La iglesia tardarán, sin embargo, bastante más en verla. La tendrán ya frente a ellos, justo al lado de la fuente, pero la luz de las linternas no la descubrirá hasta que una cruz de hierro la atraviese de repente. Y, entonces, sobrecogidos, casi sin ánimo para acercarse a ella, contemplarán de lejos el pórtico invadido de zarzales, las maderas podridas, el tejado vencido y el sólido bastión de la espadaña que todavía se yergue sobre la destrucción y la ruina de la iglesia como un árbol de piedra, como un cíclope ciego cuya única razón de pervivencia fuese mostrarle al cielo la sinrazón de un ojo ya vacío. Pero que, a ellos, les servirá esa noche para orientarse definitiva y finalmente en su peregrinaje atormentado por Ainielle.

Aún se detendrán, quizá, confundidos un instante, ante la casa de Bescós, detrás de las ruinas de la iglesia. Pero la podredumbre del tejado y el borbotón de hiedra que borra sus ventanas y sus puertas les llevarán muy pronto la certeza de que allí no vive nadie desde hace mucho tiempo. Ésta está ya a su lado, cerrando frente a ella la calleja, entre la sombra del nogal y el contorno cada vez más impreciso de la huerta. La alta hierba se cuelga sobre sus tapias, y el reguero de la fuente, libre ya por el medio de la calle, sin nadie que se ocupe de encauzarlo hacia la presa, penetra entre los árboles corrompiendo sus troncos y llenándoles de musgo. Agolpados ahí enfrente, los hombres rastrearán con sus linternas la penumbra del portal y de la cuadra, las ruinas del viejo cobertizo, el compacto hermetismo de la casa detrás de sus ventanas y sus puertas. Probablemente, en un primer instante, la creerán también abandonada. La hiedra y el olvido se agolpan sobre ella lo mismo que en el resto de las casas y nada, ni siquiera el fulgor instintivo de un recuerdo, podría hacerles pensar que están ante la casa que buscaban. Será el silencio —este silencio espeso que inunda cada pieza y cada cuarto como una baba negra— el que lleve a los hombres, primero, la sospecha y, luego, la certeza de que se encuentran ya ante la misma puerta por la que algunos de ellos sacaron la caja con el cuerpo de Sabina cuando en Ainielle no quedaba nadie ya que pudiera ayudarme a trasladarla al cementerio.

La herrumbre del cerrojo, al rechinar bajo el empuje de una mano, bastará para romper el equilibrio de la noche y sus profundas bolsas de silencio. Como asustado de sí mismo, el que se atreva a hacerlo regresará sobre sus pasos y el grupo entero se quedará paralizado, inmóvil, en silencio, escuchando la angustiosa sucesión del eco por el pueblo. Por un instante, pensarán que aquellos golpes nunca más van a volver a detenerse. Por un instante, llegarán a temer que Ainielle entero se despierte de su sueño —después de tanto tiempo— y los fantasmas de sus antiguos habitantes aparezcan de repente a la puerta de sus casas nuevamente. Pero pasarán los segundos, lentos, interminables, y ni siquiera en esta casa, en la que tal aparición sería esperada, ocurrirá absolutamente nada extraño. El silencio y la noche volverán otra vez a adueñarse del pueblo y el resplandor de las linternas se estrellará contra la puerta nuevamente sin encontrar el brillo acorralado de mis ojos frente a ellas.

Pero los hombres sabrán ya que no puedo andar muy lejos. Se lo dirá el murmullo negro del reguero y la sombra del nogal en la fachada. Se lo dirá la perfección de la noche detrás de las ventanas. Quizá creerán que, al verles acercarse por el monte, me he encerrado con llave en el rincón más oculto e inaccesible de la casa. O quizá no. Quizá sospecharán, por el contrario, que, sabiendo que éste sería el primer sitio al que vendrían a buscarme, me he escondido en el monte o entre las sombras y ruinas de otra casa desde la que, a lo peor, puedo estarles espiando en ese instante por la espalda. En cualquier caso, de lo que todos estarán también ya convencidos es de que yo jamás saldré de mi agujero mientras ellos permanezcan en el pueblo. Y también, de que, si logran encontrarme, les ofreceré más resistencia de la que, sin duda alguna, ya esperaban.

Sin embargo, no tendrán otra elección. Cuando vengan a Ainielle, será para encontrarme. Cuando lleguen ahí, enfrente de esta casa, ni siquiera contarán con la ayuda de una noche que avanzará en contra de ellos mientras, en las cocinas de Berbusa, sus mujeres y sus hijos continuen esperando, impacientes, su regreso. Así que, más tarde o más temprano, alguno de los hombres romperá la indecisión de los demás y, empuñando su escopeta, se acercará con decisión hasta la puerta. Alguien le alumbrará con su linterna mientras él encañona el cerrojo desde cerca. Hará, tal vez, un gesto a los demás para indicarles que se alejen. Pero no les dará tiempo. El estampido será tan contundente, tan brutal, que les detendrá a todos en seco en mitad del movimiento.

Cuando consigan reaccionar, la onda del disparo habrá empezado ya a desvanecerse. Un olor penetrante invadirá la calle y una nube de humo se deshará en la noche por encima de los árboles del huerto. Temerosos, los hombres empezarán a aproximarse muy despacio hacia la puerta. La cerradura habrá saltado como una astilla seca y un pequeño empujón será ya suficiente para ofrecer entera la boca del pasillo a las linternas. Atropelladamente, con la respiración entrecortada y el pulso a punto de rompérseles, registrarán una por una las habitaciones de abajo y la despensa, la tibia —todavía— soledad de la cocina, los rincones subterráneos y sin luz de la bodega. A partir de ese instante, todo sucederá ya con rapidez de vértigo. A partir de ese instante (y horas después al tratar de recordar, para contar, los hechos), ninguno de ellos podrá saber ya exactamente de qué modo la sospecha dejó paso a la certeza. Porque, cuando el primero de ellos comience a subir las escaleras, todos sabrán ya seguramente lo que, aquí, les esperaba desde hacía mucho tiempo. Un frío repentino e inexplicable se lo anticipará. Un ruido de alas negras batirá las paredes advirtiéndoselo. Por eso, nadie gritará aterrado. Por eso, nadie iniciará el gesto de la cruz o el de la repugnancia cuando, tras esa puerta, las linternas me descubran al fin encima de la cama, vestido todavía, mirándoles de frente, devorado por el musgo y por los pájaros.

2

Sí. Seguramente, me encontrarán así, vestido todavía y mirándoles de frente, casi del mismo modo en que yo encontré a Sabina entre la maquinaria abandonada del molino. Sólo que yo, aquel día, no tuve otros testigos de mi hallazgo que la perra y el gemido acerado de la niebla al romperse contra los árboles del río.

(Es extraño que recuerde esto ahora, cuando el tiempo ya empieza a agotarse, cuando el miedo atraviesa mis ojos y la lluvia amarilla va borrando de ellos la memoria y la luz de los ojos queridos. De todos, salvo de los de Sabina. ¿Cómo olvidar aquellos ojos fríos que se clavaban en los míos mientras trataba de romper el nudo que aún quería inútilmente sujetarles a la vida? ¿Cómo olvidar aquella larga noche de diciembre, la primera que pasaba completamente solo ya en Ainielle, la más larga y desolada de las noches de mi vida?)

Hacía ya dos meses que los de Casa Julio se habían ido. Esperaron a que el centeno madurara, lo vendieron en Biescas junto con las ovejas y algunos muebles viejos y, una mañana de octubre, antes de ser de día, cargaron en la yegua las cosas que pudieron y se alejaron por el monte hacia la carretera. También, aquella noche, corrí a esconderme en el molino. Lo hacía siempre que alguien se marchaba para no tener que despedirme, para que nadie viera la pena que me ahogaba cada vez que, en Ainielle, otra casa se cerraba. Y, allí, sentado en la penumbra, como una pieza más entre las de la maquinaria ya inservible del molino, les oía perderse poco a poco por la senda que lleva a tierra baja. Aquella vez, sin embargo, sería ya la última. Después de la de Julio, no había ya otra casa que cerrar ni otra esperanza de vida para Ainielle que las mías. Por eso, aquella noche, la pasé entera ya escondido en el molino. Por eso, aquella noche, cuando los de Casa Julio llamaron muy temprano a la puerta de la mía, Sabina era la única que todavía podía oírles. Pero tampoco ella bajó a abrirles. Ni siquiera se acercó hasta la ventana a despedirles con un último gesto o una última mirada. Con la memoria y el corazón deshechos por el llanto, escondió la cabeza debajo de la almohada para no escuchar más los golpes en la puerta ni los cascos de la yegua cuando se alejaban.

Aquel otoño fue mucho más fugaz que de costumbre. Todavía en octubre, el horizonte se fundió con las montañas y, pocos días después, llegó el viento de Francia. Durante varios días, por la ventana de la cuadra, Sabina y yo le vimos recorrer los campos solitarios, inclinar a su paso las cercas de los huertos y las empalizadas, arrancar con crueldad las hojas de los chopos antes aún de que amarillearan. Durante varias noches, sentados junto al fuego, le escuchamos aullar como un perro rabioso en el tejado. Parecía como si aquel hosco visitante nunca más hubiera de dejarnos. Como si su irrupción repentina e inesperada no tuviera justamente otra razón que la de hacernos compañía en aquel primer invierno que Sabina y yo habríamos de pasar completamente solos ya en Ainielle.

Una mañana, sin embargo, al despertarnos, un profundo silencio se encargó de anunciarnos que también él se había marchado. Desde la ventana de este cuarto, contemplamos las huellas de su paso: pizarras y maderas arrancadas, postes caídos, ramas quebradas, bancales y sembrados y muros arrasados. Aquella vez, el viento había sido más feroz que de costumbre. Por el barranco abajo, se había embravecido y numerosos chopos yacían en el suelo o se inclinaban sobre él con las raíces asomando y la tierra de sus bases removida. Antes de irse, el vendaval se había reagrupado entre las casas. Como una bestia herida, se había atormentado y sacudido y, ahora, una insólita siembra de pájaros y hojas se esparcía por el pueblo como despojos inocentes de una cruel y vandálica batalla. Las hojas se amontonaban en espirales junto a las tapias. Los pájaros yacían entre ellas después de que el viento les arrastrara con violencia contra los árboles y los cristales de las casas. Algunos, colgaban todavía de los aleros y las ramas. Otros, aleteaban torpemente agonizando todavía en medio de la calle. Durante toda la mañana, Sabina anduvo recogiéndolos con la varilla rota de un paraguas. Después, hizo una hoguera en el corral de Casa Lauro y, ante la decepcionada mirada de la perra y de mí mismo, los roció con aceite y prendió fuego al botín que el vendaval, en su huida, había abandonado.

Pronto llegó noviembre con su pálido aliento de lunas y hojas muertas. Los días fueron haciéndose más cortos cada vez y las interminables noches junto a la chimenea comenzaron a sumirnos poco a poco en un profundo tedio, en una pétrea y desolada indiferencia contra la que las palabras se deshacían como arena y en la que los recuerdos daban paso casi siempre a inmensas extensiones de sombra y de silencio. Antes, cuando aún estaban Julio y su familia (y, antes aún, cuando Tomás todavía no había muerto y sostenía tenazmente en solitario la vieja casa y la memoria de Gavín), nos reuníamos todos en una de las casas, junto a la chimenea, y, allí, durante largas horas, mientras la nieve y la ventisca gemían en lo alto del tejado, pasábamos las noches del invierno contándonos historias y recordando personas y sucesos, casi siempre de otro tiempo. El fuego, entonces, nos unía más que la amistad y que la sangre. Las palabras servían, como siempre, para ahuyentar el frío y la tristeza del invierno. Ahora, en cambio, a Sabina y a mí, el fuego y las palabras nos volvían más distantes, los recuerdos nos hacían cada vez más silenciosos y lejanos. Y, así, cuando llegó la nieve, la nieve estaba ya, desde hacía mucho tiempo, en nuestros propios corazones.

Fue un día de diciembre, vísperas de Navidad, la primera desde que los dos estábamos ya solos en Ainielle y, por ello, la que ambos más temíamos. Aquel día, yo había subido muy temprano hasta las bordas de Escartín con la escopeta. El jabalí había estado hozando por los huertos, buscando bajo el hielo la raíz de la patata junto a las mismas tapias de las casas, y, en la mañana, un oscuro reguero de tierra removida denunciaba su visita nocturna y clandestina. La perra tardó mucho, sin embargo, en encontrar su rastro. Aún era cachorra y se perdía cada poco entre los árboles corriendo tras el vuelo de algún pájaro. Una gélida brisa, tocada ya por la mano invisible de la nieve, llegaba, además, desde los puertos, confundiendo los olores del monte y sus mensajes. Por fin, al mediodía, cuando empezaba ya a desesperar de encontrar a nuestro visitante de la noche, le vi, a lo lejos, aparecer entre unos matorrales, atravesar el arroyo de La Yosa chapoteando sobre el fango y empezar a subir por la ladera justo en la dirección en la que yo estaba esperándolo. Hice un gesto a la perra para que se quedara quieta y en silencio donde estaba y me tumbé detrás de una pared con la escopeta preparada y el cuchillo a mano. El jabalí venía subiendo por la cuesta con paso lento y confiado. Hinchado por el peso de su atracón nocturno, acostumbrado ya a la tranquilidad y el abandono en que la despoblación de las aldeas del contorno había sumido últimamente aquellos bosques y barrancos, caminaba entre los robles con la seguridad y la confianza de quien había empezado ya a creerse su único dueño y habitante. La posta le reventó el ojo derecho, le lanzó a más de un metro de distancia y le dejó revolcándose en el suelo, gruñendo de dolor y de sorpresa. Aún tuve, sin embargo, que meterle otros dos tiros, uno en el vientre y otro en la garganta, antes de aproximarme a él para cortar su áspera agonía de una honda y sostenida puñalada.

Aquella noche, no conseguí dormirme hasta muy tarde. La ventisca arreciaba en el tejado y los cristales y la perra ladraba en el portal vigilando de lejos la sombra ensangrentada que ahora pendía boca abajo de una viga, atada con la soga que, por la tarde, me sirviera para arrastrar al jabalí desde las bordas de Escartín hasta esta casa. Hacía mucho tiempo que nada quebrantaba la rutina de mi vida y, aquella noche, tardé en dormirme recordando una y mil veces, como en una imagen fija y congelada, cada detalle de lo que había ocurrido al mediodía.

Cuando me desperté, todavía no había amanecido. La habitación estaba completamente a oscuras, pero una luz helada estallaba en los cristales enmarcando con timidez extraña el pequeño rectángulo de la ventana. Era la nieve, que caía ya como una maldición antigua y blanca sobre Ainielle y que empezaba a sepultar enteramente una vez más los tejados y las calles. La ventisca había amainado y una calma profunda se extendía ahora por el pueblo llenándolo de desamparo y de silencio. Durante algunos instantes, mientras el sueño volvía a apoderarse nuevamente de mis ojos, la nieve de la infancia comenzó a fundirse en ellos —como si la visión de la ventana y de la nieve que caía sobre el pueblo formaran también parte del recuerdo—, añadiendo a la noche la estela de otras noches, arrancando al olvido la soledad primera, transformando en memoria la mirada y el sueño. Hundido en esa niebla, me di la vuelta para seguir durmiendo. Y entonces fue cuando, de pronto, me di cuenta de que Sabina no estaba ya en la cama.

La busqué inútilmente por la casa: en las habitaciones de abajo y la cocina, en el trastero de las herramientas, en la cocina y el desván, en la bodega. En el portal, tampoco hallé a la perra. Sólo la oscura sombra del jabalí seguía colgada de la viga, alimentando con su sangre el charco que rompía bajo ella la blancura perfecta de la nieve. Descubrí las pisadas en la puerta a punto ya de volver a ser borradas. Las seguí lentamente, pegado a las paredes de las casas, mientras sentía los copos estallar contra mis ojos y un miedo inexplicable crecer como la noche dentro de ellos. Las huellas llegaban hasta Casa Juan Francisco, doblaban bruscamente por detrás del cobertizo y se perdían a lo lejos entre los arruinados paredones de la iglesia. Parado en el extremo de la calle, contemplé estremecido la soledad inmensa de la noche en torno mío. Escuché unos instantes: sólo mi propio aliento rompía apenas las láminas heladas e infinitas del silencio. Me encogí en la chaqueta para tratar de protegerme de la nieve y seguí caminando tras el rastro de Sabina. Atravesé de este modo todo el pueblo, atento a cualquier ruido y deteniéndome a interrogar la noche a cada paso, hasta que, poco a poco, pasadas ya las ruinas de la escuela y los antiguos cobertizos de Gavín, las huellas en la nieve comenzaron a hacerse más limpias y profundas y la sospecha de su proximidad a convertirse en un presentimiento. La vi, por fin, al fondo de la calle, a punto de perderse por la senda de Berbusa, y en ese instante supe ya que nunca más habría de volver a olvidar aquella imagen: en medio del silencio y de la nieve, entre la desolación y las ruinas de las casas, Sabina vagaba por el pueblo, como una aparición o un hálito irreal, seguida dócilmente de la perra.

Durante las siguientes noches, volvió a ocurrir lo mismo. Hacia las cinco o las seis de la mañana, con la noche encajonada todavía entre los montes, Sabina se levantaba de la cama, abandonaba la habitación sin hacer ruido y, acompañada siempre de la perra, vagaba por las calles solitarias y nevadas hasta que la primera luz del día despuntaba sobre Ainielle. Yo la veía levantarse fingiendo estar dormido, la seguía después, a través de la ventana, hasta que su silueta se perdía al fondo de la calle y volvía a la cama para intentar inútilmente recobrar un sueño estremecido y ya imposible. Por la mañana, cuando me levantaba cansado de dar vueltas buscando una razón a la tristeza de Sabina, la hallaba ya sentada junto al fuego, en la cocina, nuevamente, con la respiración roída por el humo y la mirada lejana e inexpresiva.

Poco a poco, a medida que los días habían ido sucediéndose (y, sobre todo, desde aquel en que la nieve irrumpiera en nuestras vidas con su espiral interminable de hielo y cielos líquidos), Sabina había ido cayendo en un profundo estado de indolencia y en un hondo mutismo. Se pasaba las horas sentada frente al fuego o contemplando el descampado de la calle a través del ventanucho, ajena totalmente a mi presencia. Yo la veía deambular como una sombra por la casa, espiaba de reojo su mirada al contraluz atormentado de las llamas sin saber cómo salvar aquella fría lejanía de sus ojos, sin encontrar el modo de romper la espesa malla de silencio que amenazaba ya con adueñarse por entero de la casa y de mí mismo. Parecía como si las palabras hubieran perdido de repente todo su significado y su sentido, como si el humo de la lumbre levantara entre nosotros una cortina impenetrable que convertía nuestros rostros en los de dos desconocidos. Sentado frente a ella, con la nevada afuera impidiendo la salida, yo caía entonces en una oscura y turbia somnolencia —que la desolación insomne y torturada de la noche alimentaba— o me quedaba absorto contemplando, también durante horas, el bosque calcinado en el que ardían las aliagas y, con ellas, mis recuerdos. Pero, a veces, el aullido del silencio era tan fuerte, tan profundo, que, incapaz de soportarlo por más tiempo, abandonaba la cocina buscando en la penumbra del portal el calor y la mirada, más humana, de la perra.

La noche en que murió, Sabina se levantó mucho antes que otras veces de la cama. Era aún la una y media de la madrugada y hacía apenas una hora que nos habíamos acostado. Hundido en la penumbra —y en la simulación de un sueño que la propia ansiedad de su conquista me negaba—, sentí el frío repentino de su hueco entre las sábanas, el susurro aprendido de las ropas al vestirse y las pisadas sigilosas que se alejaban por la escalera sin hacer ruido. Sentí, luego, también, el sobresalto de la perra en el portal al despertarle las pisadas y el lamento herrumbroso de los goznes de la puerta cuando Sabina abandonó la casa. Pero, esa noche, yo no salí tras ella. Ni siquiera me levanté como otras veces para espiar sus movimientos a través de la ventana. Esa noche, un frío inexplicable paralizó mi corazón y me mantuvo inmóvil bajo el peso de las mantas mientras la oscuridad y la zozobra del silencio volvían a adueñarse nuevamente de la casa. Permanecí así durante varias horas, escuchando a lo lejos los confusos lenguajes del silencio y de la nieve, hasta que, al filo ya de la mañana, vencido por el sueño y por la espera, me desplomé por fin como un cuerpo sin peso en una turbia e interminable pesadilla: la nieve que hacía días caía sin descanso sobre Ainielle, apoderada ya de los tejados y las calles, había reventado las puertas y ventanas de la casa y se extendía poco a poco por las habitaciones cubriendo las paredes y amenazando con sepultar también la cama en la que yo permanecía atenazado por una fuerza extraña que me impedía levantarme y escapar de aquella interminable pesadilla.

Cuando me desperté, estaba amaneciendo. La fría luz que salpicaba los cristales —restos de hielo y de mi propio sueño— me hizo dudar por un instante de si, en efecto, la nieve no habría profanado ya la casa y yo estaría ahora sepultado bajo ella. Desde la ventana, mientras me vestía, contemplé la calle. Había cesado de nevar; pero una niebla espesa, cuajada de amenazas, cubría ahora los árboles y los tejados más cercanos. Una niebla profunda y apretada en la que —imaginé— se fundiría mansamente un día más el humo de la chimenea de esta casa. En la cocina, sin embargo, el fuego de la lumbre permanecía aún apagado y no encontré a Sabina por ninguna parte. Salí al portal en busca de la perra; pero tampoco estaba. Y, entonces, de repente, como si la luz de la mañana hubiera golpeado con violencia mis sentidos y el infinito desamparo de la casa me estallara entre las manos, una sospecha súbita se apoderó de mí convirtiendo el silencio en una nueva pesadilla y el sueño de la noche en un presentimiento.

En la calle, la niebla se agarraba a las paredes y la humedad helada de la escarcha hacía ya invisible cualquier rastro reciente de pisadas. Un inmenso silencio llenaba todo el pueblo, introducía su larga lengua sucia hurgando en la penumbra de las casas la herrumbre del olvido y el polvo amontonado por los años. Cerré sin hacer ruido la puerta a mis espaldas. Busqué en el pantalón el tacto familiar de la navaja y, con la respiración y el pulso contenidos para que en la distancia no pudieran delatarme, eché a andar por el camino que Sabina seguía cada noche en solitario. Lentamente, anticipando los sentidos a la niebla y hundiéndome en la nieve a cada paso, recorrí poco a poco todo el pueblo sin encontrar huella alguna de su paso. Miré en cada portal, detrás de cada esquina y cada tapia. Registré Ainielle entero, calle a calle y casa a casa. Todo en vano. Parecía como si la nieve y el silencio la hubieran sepultado. Como si su escuálida figura se hubiera diluido para siempre entre la niebla. Eché aún, pese a todo, un último vistazo a las ruinas de la iglesia y estaba a punto ya de regresar de nuevo a casa cuando, de pronto, me di cuenta de que aún había un lugar en el que no la había buscado.

Desde lejos, como una sombra más entre las sombras que la niebla dibujaba, divisé ya a la perra tumbada en el camino. Enroscada en la nieve, bajo el dudoso amparo de los chopos deshojados, parecía un animal ahogado y abandonado allí por el furor del río. Crucé el pontón y apreté el paso llamándola en voz baja mientras me acercaba. Pero ella, cuando me vio, en lugar de correr hacia mí como otras veces, se incorporó en su sitio y retrocedió lentamente hacia la puerta del molino sin dejar de mirarme un solo instante. Dudé de si, con ello, trataba de guiarme o de si, por el contrario, lo que intentaba en realidad era cortarme el paso. Pero en sus ojos —y en la extraña actitud amenazante que, desde el primer momento, la perra había adoptado (y que me hizo recordar su amedrentada soledad vigilando al jabalí en medio de la noche y de la nieve)—, comprendí de inmediato lo que, detrás de ella, y detrás de la puerta del molino, me esperaba. Sin pensarlo un solo instante, corrí hacia ella y la abrí de una patada: Sabina estaba allí, balanceándose, colgada como un saco entre la vieja maquinaria, con los ojos inmensamente abiertos y el cuello quebrantado por la soga con la que, noches antes, yo había colgado al jabalí en el portal de casa.

3

Fue el único recuerdo que conservé de ella. Todavía la llevo, atada a la cintura desde entonces, y espero que ese día, cuando vengan a buscarme, me acompañe también con el resto de la ropa al cementerio. Lo demás —los retratos, las cartas, las fotografías— está todo allí esperándome desde hace mucho tiempo.

Al principio, cuando la descolgué, anonadado como estaba por el descubrimiento, ni siquiera me acordé de liberarla de aquel trágico lazo que oprimía su cuello estrechamente. Fue ya fuera del molino, mientras trataba de arrastrarla entre la nieve del camino, cuando de nuevo reparé en la presencia de la soga y, sin saber qué hacer con ella, casi sin darme cuenta, me la até a la cintura para que no dificultara más aún el ya penoso esfuerzo de arrastrar hasta casa el cadáver de Sabina.

No me volví a acordar de ella hasta pasados varios días. La precipitación de los acontecimientos en un primer momento (la llegada de los hombres de Berbusa —a quienes logré avisar de lo ocurrido tras caminar durante horas por el monte en medio de la nieve y la locura—, el largo y silencioso velatorio de la noche y el posterior entierro de Sabina bajo la dura luz helada de aquel amanecer) y la terrible soledad que se abatió sobre la casa cuando los hombres volvieron a partir hacia las suyas, me sumieron en un estado de total indiferencia del que tardé muchos días en salir. Sentado día y noche junto al fuego, sin acordarme apenas de comer ni de dormir, sin levantarme tan siquiera de mi sitio salvo para mirar de tarde en tarde, a través del ventanucho, la sombra de la perra tirada como un trapo en el portal, ni siquiera me di cuenta de que el cordel seguía conmigo, atado a la cintura, como un áspero cinto o como una maldición.

Cuando lo descubrí, sentí la misma conmoción que ahora, nuevamente, acaba de volver a sacudirme: esa brusca aspereza, de esparto viejo y seco, que atraviesa la piel y recorre la sangre y desgarra el recuerdo como una quemadura. A veces, uno cree que todo lo ha olvidado, que el óxido y el polvo de los años han destruido ya completamente lo que, a su voracidad, un día confiamos. Pero basta un sonido, un olor, un tacto repentino e inesperado, para que, de repente, el aluvión del tiempo caiga sin compasión sobre nosotros y la memoria se ilumine con el brillo y la rabia de un relámpago. Aquella noche, además, el recuerdo estaba aún en carne viva. O mejor: ni siquiera era un recuerdo todavía, sino la sucesión interminable de una imagen que seguía habitando en mi mirada. Yo estaba ahí, junto a la cama, completamente a oscuras, definitivamente roto ya por el cansancio y por el sueño y no sé si decidido o resignado a enfrentarme de una vez a la infinita soledad que, desde hacía varias noches, me esperaba entre estas sábanas. Fue en el instante mismo de empezar a desvestirme. De repente, la mano tropezó con algo extrañò y la aspereza inesperada de la soga me estremeció de arriba abajo dejándome aturdido al borde de la cama.

Mi primera intención fue arrojarla a la lumbre. Pero, cuando volví a bajar a la cocina, aquélla ya se había apagado y los rescoldos agonizaban lentamente en medio del silencio de la noche. Para poder quemar la soga, tendría que encender de nuevo el fuego, y yo estaba nervioso y muy cansado. Además, la leña también se había acabado y hubiera tenido que volver a buscar más hasta la cuadra. Decidí que lo mejor sería guardarla en cualquier parte y esperar al día siguiente para, por la mañana, cuando volviera a levantarme, ya más tranquilo y despejado, encender la chimenea y sentarme a su lado a contemplar cómo la soga se convertía poco a poco en un montón de brasas. Sin embargo, ni en la cocina ni en las habitaciones hallé un lugar donde dejarla. La imagen de Sabina regresando en la noche por la soga y mis propias pisadas deambulando por la casa —como si fuera un asesino que buscara un escondite inexpugnable para el arma de su crimen— me convencieron enseguida de que no podría dormir, ni tan siquiera pensar en acostarme, mientras aquel trozo de cuerda continuara estando dentro de la casa. Al final, cada vez más nervioso y excitado, como si aquella soga comenzara ya a quemarme entre las manos, salí a la calle y la arrojé con fuerza, en medio de la noche y de la nieve, lo más lejos que pude de la casa.

Recuerdo que dormí durante muchas horas: quince, veinte tal vez. O quizá más. Quizá dormí durante días enteros —días que nunca he vuelto a recordar ni a recobrar— y aquella luz que regresó a mis ojos (y que, al principio, confundí con el primer temblor del alba) no era la claridad del día siguiente sino la de dos o tres días después. No lo sé. Ni siquiera intenté nunca averiguarlo y ahora menos aún podría ya importarme. Sólo sé que dormí durante mucho tiempo, lenta, pesada, interminablemente, y que, cuando desperté, estaba ya, otra vez, empezando a anochecer.

En el portal, la perra seguía inmóvil tumbada en su rincón. Apenas había cambiado de postura desde la última vez. Hundida en la penumbra, frente a la nieve helada que rebasaba ya con creces el muro del corral y el comienzo más bajo de la ventana de la cuadra, ni siquiera se volvió para mirarme cuando me sintió bajar por la escalera. Seguramente tenía hambre. Llevaba varios días sin comer, igual que yo. Busqué algo por la casa y, al final, encontré en un arcón un trozo de pan viejo y corrompido por el frío. Se lo tiré delante de ella, pero la perra lo miró apenas un instante, indiferente, sin moverse siquiera de su sitio. Luego, volvió ligeramente la cabeza y se me quedó mirando con los mismos ojos fríos y apagados, con la misma turbadora inexpresión que sólo días antes descubriera en los ojos insomnes y quemados por la nieve de Sabina.

Entretanto, la noche había caído nuevamente sobre Ainielle. Aquello que, al principio, confundiera —al despertar por fin de tan pesado y largo sueño— con la primera claridad de un nuevo día no era sino la sombra desgarrada con que el anochecer comienza siempre en el invierno a deshacer el horizonte y las montañas. Sentí frío. Busqué una pala y abrí una estrecha zanja en medio de la nieve hasta la cuadra. Mientras dormía, había nevado nuevamente —nieve sobre la nieve y hielo sobre el hielo— y el corral estaba ahora enteramente sepultado bajo una gruesa y dura capa que me llegaba ya hasta la cintura. Tuve que espalar durante un rato ante la entrada hasta poder por fin abrir la puerta y recoger la leña necesaria para el fuego. Luego, de vuelta en el portal, dejé entrar a la perra en la cocina y me dispuse una vez más a resistir la noche junto a la chimenea. Fue justo al encenderla, en el momento en que las llamas empezaron a brotar entre los troncos y una agradable ola de calor se expandió suavemente por la estancia, cuando volví a acordarme de la soga que la noche anterior había tirado en medio de la calle.

Llamé a la perra y salí con la linterna. Afuera, un viento hosco batía los tejados y se enredaba con violencia entre las ramas de los árboles. El cielo estaba oscuro, hinchado por el peso de la noche, pero un fulgor intenso envolvía en torno a mí la calle y todo el pueblo. Pisé la nieve y apenas se quebró bajo mis botas. Estaba helando. La perra me siguió hundiéndose en la nieve a cada paso, hasta el lugar aproximado en que —intentaba recordar— la soga debía de haber ido a caer la noche antes. Ignoro si la perra sospechaba lo que yo andaba buscando; pero, durante largo rato, rastreó, siempre a mi lado, desde el portón del huerto hasta la zanja de la presa, desde la vieja empalizada de Bescós hasta la esquina de la iglesia, toda la parte alta de la calle. Pero todo fue en vano. La última nevada debía de haber cubierto la soga por completo —la imagen de Sabina regresando por ella mientras yo estaba durmiendo volvió a sobrecogerme— y la linterna resbalaba una y otra vez sobre la superficie helada de la calle sin encontrar por ningún sitio la forma tortuosa que buscaba. Volví a casa por la pala y removí toda la nieve de aquella zona de la calle con el mismo resultado. Al final, sudoroso y cansado, con las manos quemadas por el frío y el aliento helándoseme en la boca, regresé a la cocina convencido de que ya no volvería a ver la soga en mucho tiempo.

No tardé en olvidarme de aquel último incidente. Tras nuestra infructuosa búsqueda en la nieve, la perra y yo volvimos junto al fuego —y, junto a él, a nuestras respectivas somnolencias— y el sopor de la noche y el humo de la hoguera fueron borrando poco a poco de mi mente el áspero recuerdo de la soga que ahora yacía en medio de la calle, bajo una gruesa losa de hielo y de silencio. Para mi tranquilidad —pensé— aquello era más que suficiente. Ignoraba todavía en ese instante la amenaza que sobre mí ya se cernía y que, aquella misma noche, habría de volver a convertir mi alma en un abismo.

Todo empezó con el descubrimiento de aquel viejo retrato de Sabina. Había estado siempre allí, en la pared de la cocina, justo encima del escaño en cuyo extremo ella siempre se sentaba y que ahora permanecía ya vacío e inmensamente solo frente a mí. Era una antigua fotografía amarillenta —Sabina con la ropa de domingo: aquel vestido pobre y negro, aquella pañoleta de hilo gris sobre los hombros, los mismos pendientes de la boda desempolvados para la ocasión— que un fotógrafo de Huesca le había hecho cuando bajamos a despedir a Camilo a la estación. Yo mismo le había puesto un marco de madera y colgado en la pared. Desde entonces —hacía ya veintitrés años—, había estado siempre allí. Pero los ojos se habitúan a un paisaje, lo incorporan poco a poco a sus costumbres y a sus formas cotidianas y lo convierten finalmente en un recuerdo de lo que la mirada, alguna vez, aprendió a ver. Por eso, aquella noche, cuando, de pronto, reparé en la presencia amarillenta del retrato, los ojos de Sabina se clavaron en los míos como si, en ese instante, ambos se hubieran visto por primera vez.

Sobresaltado, desvié la mirada hacia la lumbre. Los troncos crepitaban doloridos y, a su lado, la perra dormitaba mansamente, ajena por completo a mi mirada y a la fotografía que velaba su fiel sueño desde la polvorienta soledad de la pared. Nada cambiaba en apariencia la costumbre invariable de otras noches. Nada rompía la fisonomía familiar de la cocina en torno a mí. Pero, al trasluz atormentado de las llamas, sobre el respaldo del escaño ya vacío para siempre, los ojos de Sabina me miraban fijamente, perseguían insistentes a los míos como si aún siguieran vivos en aquel viejo papel.

Poco a poco, a medida que la noche fue avanzando, la presencia de la fotografía empezó a hacerse más molesta y obsesiva cada vez. Concentré la mirada en la espiral del fuego. Cerré los ojos tratando de dormir. Pero todo era inútil. Los ojos amarillos de Sabina me miraban. Su soledad antigua se extendía como una mancha húmeda por toda la pared. Pronto entendí que la tranquilidad y el sueño de horas antes serían ya imposibles mientras aquel viejo retrato siguiera frente a mí.

La perra despertó sobresaltada, y se quedó mirándome sin entender muy bien. Yo estaba ya junto al escaño, nervioso y aturdido, pero dispuesto a poner fin a aquella situación. El recuerdo cercano de la soga me empujaba. El temor a la locura y al insomnio había comenzado a apoderarse ya de mí. Cogí el retrato entre las manos y lo miré otra vez: Sabina sonreía con una gran tristeza, sus ojos me miraban como si aún pudieran ver. Y, en la desolación extrema de aquel andén vacío —vacío para siempre—, su soledad de entonces atravesó mi corazón. Sé que nadie jamás me creería, pero, mientras se consumía entre las llamas, su voz inconfundible me llamaba por mi nombre, sus ojos me miraban pidiéndome perdón.

Aterrado, salí de la cocina. Cerré la puerta a mis espaldas y me hundí en la oscuridad. Casi instantáneamente, un frío inexplicable me invadió. La casa estaba helada, cargada de amenazas, cuajada de silencio y de humedad. En medio del pasillo, me detuve. El eco de las llamas se había sofocado, pero la voz sonaba ahora de nuevo junto a mí. Atravesado por el pánico, miré a mi alrededor. La oscuridad era absoluta, llenaba mis pupilas como una maldición. Un sudor frío me recorrió la cara. Una descarga seca me paralizó. En la pared del fondo del pasillo, junto a un antiguo y olvidado calendario, Sabina me miraba nuevamente, sentada a mi derecha en el escaño, en un viejo retrato de los dos. Sin pensarlo un instante, lo arranqué de su sitio y me abalancé por la escalera hacia la habitación. Había comprendido que debía actuar con rapidez.

Los cajones, las arcas, los baúles. Las habitaciones de arriba y el desván. El armario de la ropa y la cocina. Nada quedó sin registrar. Poco a poco, todas las cosas de Sabina —las fotografías, las cartas, los pendientes y el anillo de la boda, incluso algunas ropas y recuerdos familiares— fueron amontonándose en medio del pasillo. Todo cuanto pudiera prolongar su presencia dentro de la casa. Todo cuanto aún pudiera seguir alimentando su espíritu y su sombra alrededor de mí. Cuando volví a bajar, un viento seco batía ya toda la casa, golpeaba las ventanas y las puertas sin encontrar la paz.

En medio de la calle, la noche me detuvo. Era la misma noche de horas antes, aunque cruzada ahora por mi exasperación. Inmóvil en la nieve, respiré largamente el aire frío. Dejé que me inundara su helada claridad. Luego, muy despacio, mientras la respiración y el pulso recobraban poco a poco su ritmo originario, me alejé de la casa caminando por la zanja que yo mismo había espalado al levantarme y busqué con la linterna la vieja portillera de la huerta. Abrirla me costó mucho trabajo. La nieve la cubría por completo y el cerrojo rechinaba agarrotado bajo una negra costra de hielo y humedad. Por fin, conseguí entrar. Contemplé el viejo muro, la soledad del pozo, los árboles inmóviles como fantasmas arrecidos en medio de la nieve. Busqué un lugar cerca del muro y, tras quitar la nieve por encima con la pala, comencé a cavar. Como temía, la tierra estaba helada, entumecida por la escarcha y por su propia soledad. La pala rebotaba contra ella, se doblaba sin fuerza entre mis manos como si golpeara encima de una losa o sobre el nervio vegetal de una raíz. Tuve que cavar durante casi media hora, con la linterna en la boca y el sudor helándoseme en la cara, hasta lograr abrir por fin un hoyo lo suficientemente ancho y profundo como para que en él cupiera la maleta en la que había metido todas las cosas y recuerdos de Sabina. Era una vieja maleta de madera y hojalata. Mi padre la había hecho para mí cuando me fui al Servicio y, desde entonces, había ido conmigo a todas partes. Ahora, la acompañaba a ella, solas las dos bajo la tierra, en su definitivo viaje hacia la eternidad.

Amanecía cuando volví a la casa. Una luz fría se derretía como plomo entre la bruma y un pálido fulgor iluminaba suavemente el interior de la cocina y el pasillo. Todo estaba otra vez tranquilo y en silencio dentro de la casa. Incluso el fuego, debilitado ya y reducido a un círculo de brasas amarillas, acariciaba ahora el sueño de la perra con su serena placidez de siempre. Recuerdo que, al entrar en la cocina, miré casi sin querer —después de tanto tiempo— el calendario. Si mi memoria no mentía, aquella que acababa era la última noche de 1961.

4

Si mi memoria no mentía. 1961, si mi memoria no mentía. ¿Y qué es, acaso, la memoria sino una gran mentira? ¿Cómo podría yo ahora estar seguro de que aquella era, en efecto, la última noche de 1961? O de que la vieja maleta de madera y hojalata de mi padre está realmente pudriéndose en el huerto bajo un montón de ortigas. O —¿por qué no?— de que no fuera Sabina la que, al irse, arrancó de su sitio y se llevó consigo todas las cartas y las fotografías. ¿No lo habré quizá soñado o imaginado todo para llenar con sueños y recuerdos inventados un tiempo abandonado y ya vacío? ¿No habré estado, en realidad, durante todo este tiempo, mintiéndome a mí mismo?

Ahora veo el tejado de Bescós recortándose en la luna. La noche borra todo lo demás, incluso la ventana y los barrotes de la cama. Siento, eso sí, la presencia obsesiva de mi cuerpo —ese dolor de humo bajo el pecho, en los pulmones—, pero mis ojos sólo ven el tejado de Bescós recortándose en la luna. ¿Pero están viéndolo realmente? ¿No lo estarán soñando como se sueñan personas y lugares, incluso desconocidos? ¿No estarán simplemente recordando la vieja imagen de un tejado que, como tantos otros en Ainielle, tal vez hace años ya que se ha caído?

La soledad, es cierto, me ha obligado a enfrentarme cara a cara conmigo mismo. Pero, también, como respuesta, a construir sobre recuerdos las pesadas paredes del olvido. Nada produce a un hombre tanto miedo como otro hombre —sobre todo si los dos son uno mismo— y ésa era la única manera que tenía de sobrevivir entre tanta ruina y tanta muerte, la única posibilidad de soportar la soledad y el miedo a la locura. Recuerdo que, de niño, escuchaba a mi padre historias y sucesos de otro tiempo, veía a mis abuelos y a los viejos del pueblo sentados junto al fuego y el pensamiento de que ellos ya existían cuando yo ni siquiera había nacido me llenaba de angustia y me dolía. Entonces, sin que nadie lo supiera —sentado en el escaño, en un rincón, seguramente ni siquiera me veían—, escuchaba hasta dormirme sus relatos y adoptaba sus recuerdos como míos. Imaginaba los lugares y personas de que hablaban, les otorgaba los rostros que creía habrían tenido y, al igual que se dibuja y se da forma a la imagen de un deseo o un pensamiento, construía de ese modo mi memoria con las suyas. Cuando murió Sabina, la soledad me obligó otra vez a hacer lo mismo. Como un río encharcado, de repente el curso de mi vida se había detenido y, ahora, ante mí, ya sólo se extendía el inmenso paisaje desolado de la muerte y el otoño infinito donde habitan los hombres y los árboles sin sangre y la lluvia amarilla del olvido.

A partir de ese día, la memoria fue ya la única razón y el único paisaje de mi vida. Abandonado en un rincón, el tiempo se detuvo y, como un reloj de arena cuando se le da la vuelta, comenzó a discurrir en sentido contrario al que, hasta entonces, había mantenido. Nunca volví a sentir la angustia de acercarme a una vejez que, durante mucho tiempo, me había resistido a aceptar como la mía. Nunca volví a acordarme de aquel viejo reloj que, abandonado en un rincón, colgaba inútilmente en la pared de la cocina. De pronto, el tiempo y la memoria se habían confundido y todo lo demás —la casa, el pueblo, el cielo, las montañas— había dejado de existir, salvo como recuerdo muy lejano de sí mismo.

Fue el principio del fin, la iniciación del largo e interminable adiós en que, a partir de entonces, se convirtió mi vida. Como la luz del sol, cuando se abre una ventana después de muchos años, rasga la oscuridad y desentierra bajo el polvo objetos y pasiones ya olvidados, la soledad entró en mi corazón e iluminó con fuerza cada rincón y cada cavidad de mi memoria. Como el viento de Francia cuando aparece de repente arrastrando papeles y cardos por las calles y golpea las puertas e irrumpe con violencia en los portales y en las habitaciones de las casas, el tiempo sacudió los muros del silencio y penetró entre sus ruinas arrastrando a su paso recuerdos y hojas muertas. Era la exhumación final de todo lo soñado y lo vivido, el comienzo de un viaje sin retorno hacia el pasado que ya sólo acabará conmigo. Pero, al igual que las palabras, cuando nacen, crean silencio y confusión en torno suyo, los recuerdos también dejan bancos de niebla a su alrededor. Bancos de niebla, espesos y cambiantes, que la melancolía de los años va extendiendo sobre aquéllos y que convierten poco a poco la memoria en un paisaje extraño y fantasmal. Pronto entendí que nada volvería ya a encontrar igual que antes, que mis recuerdos eran sólo reflejos temblorosos de sí mismos, que mi fidelidad a una memoria deshecha ya entre nieblas y ruinas acabaría convirtiéndose a la larga en una nueva forma de traición.

Desde entonces, he vivido de espaldas a mí mismo. Durante todos estos años, no he sido yo el que se sentaba junto al fuego o el que vagaba por el pueblo como un perro abandonado y solitario. No he sido yo el que cada noche se acostaba en esta cama y se quedaba en silencio, escuchando la lluvia, hasta el amanecer. Durante todos estos años, ha sido mi recuerdo el que vagaba por el pueblo y se sentaba junto al fuego; era mi propia sombra la que venía a acostarse cada noche en esta cama y se quedaba en silencio escuchando la lluvia y mi respiración. Y, ahora que ya llega para mí la última noche, ahora que el tiempo acaba y mi memoria se deshiela por completo, como la tierra bajo el sol después de un largo invierno, abro otra vez los ojos, miro a mi alrededor y encuentro solamente este dolor de humo bajo el pecho, en los pulmones, la claridad borrosa y gris de la ventana, a un lado de la cama, y el círculo amarillo de la luna recortando a lo lejos el tejado de Bescós.

5

El tejado y la luna. La ventana y el viento. ¿Qué quedará de todo ello cuando yo me haya muerto? Y, si yo ya estoy muerto, cuando los hombres de Berbusa al fin me encuentren y me cierren los ojos para siempre, ¿en qué mirada seguirán viviendo?

Si el otoño no abrasara ahora la luna, creería que es la misma de aquella Nochevieja. Si la luna no quemara ahora mis ojos, pensaría que mi vida, desde entonces, no ha sido más que un sueño. Un sueño blanco, febril, atormentado, como la angustia de estas sábanas o la locura interminable de aquel primer invierno. Un sueño blanco, febril, atormentado, que los ladridos de la perra volverían a romper como aquel día anunciándome en la noche el inicio del deshielo.

La ventana y la luna encuadran e iluminan todavía como entonces aquel primer recuerdo. Una noche de marzo, contra la amanecida, allá por San José. El viento en los cristales y la perra ladrándole a la luna y llamándome entre sueños. Hacía ya algún tiempo, sin embargo, que en el aire podía olfatearse la muerte del invierno. Un temblor de semillas renacía en los bosques. Una oscura humedad brotaba de la tierra y se extendía poco a poco por las calles y los huertos. Y, en el rincón helado del portal donde solía estar tumbada todo el tiempo, una dulce zozobra alborozaba el corazón y la mirada de la perra. Por eso, aquella noche, cuando subí a la cama después de un día más quemado inútilmente junto al fuego, tardé en dormirme recordando lejanas y olvidadas primaveras. Por eso, aquella noche, cuando, en la madrugada, me despertaron los ladridos de la perra, comprendí que el invierno terminaba y ya no pude volver a conciliar el sueño.

Durante largo rato, inmóvil en la cama como ahora, permanecí en silencio. La noche estaba en calma, dormida bajo el hielo, iluminada apenas por una luna fría y transparente. En apariencia, y salvo los ladridos ya acallados de la perra, nada extraño podía distinguir aquella noche de cualquiera de las noches anteriores. El silencio del pueblo, la ventana entreabierta, la silueta borrosa del tejado de Bescós tras los cristales empañados por la escarcha, todo a mi alrededor seguía exactamente igual que siempre. Pero, a medida que el amanecer se fue acercando y la luna se deshizo como humo entre la enredadera blanca de la escarcha, un oscuro murmullo comenzó a envolver la casa y todo el pueblo. Al principio, era apenas un rumor subterráneo, una pasión de agua que renacía bajo el hielo y recorría lentamente los tejados y las calles. Pero, luego, cuando la luz del alba logró al fin romper el largo cerco de la noche y, sobre todo, cuando el primer reflejo de un sol entumecido se deslizó por las montañas —después de tanto tiempo— deshaciendo en sangre y vaho la ventana, el murmullo inicial se convirtió rápidamente en una tromba oscura e impetuosa. Era el río, el bramido de la nieve al derretirse, las torrenteras desbordadas por los caminos y barrancos que llegan hasta Ainielle. Era el agua, la muerte del invierno, el resurgir del sol y de la vida después de tantos meses sepultados bajo el hielo.

Jamás podré olvidar aquel momento. Hacía tanto tiempo que esperaba su llegada, lo había imaginado y deseado tantas veces a lo largo de aquel terrible invierno, que, cuando al fin llegó, estuve a punto de creer que no era más que un sueño. Llegué incluso a escuchar los pasos de Sabina en la cocina y la voz inconfundible de mi padre conversando con Bescós en el portal. Pero no. Aquello no era un sueño. Aquel rumor de agua que escuchaba sonaba ciertamente fuera de la casa. Aquel vapor de sol seguía desangrando los cristales y yo estaba despierto, despierto como ahora, despierto como antaño, cuando la nieve y el silencio de la infancia envolvían todavía la ventana de este cuarto y los carámbanos de hielo que colgaban del tejado se convertían a mis ojos en acero. Cuánto tiempo transcurrido desde entonces. Cuánto tiempo y cuánto acero acumulado ya en mis huesos. Pero hay imágenes que permanecen adheridas a los ojos, como cristales transparentes, y que incorporan en el tiempo la sensación primera como si el ojo no fuera más que un simple espejo del paisaje y la mirada el único reflejo posible de sí mismo.

Aquel día, sin embargo, yo estaba lejos de sentir la melancólica añoranza que su recuerdo me trae hoy. Aquel día, después de tanto tiempo, después de tanto hastío y tanta nieve, por fin amanecía distinto a los demás y, mientras me vestía, sentí que me invadía la misma misteriosa turbación que, en días anteriores, había descubierto en la mirada de la perra. Ni siquiera me entretuve en encender la chimenea como solía siempre hacer al levantarme. Indiferente al frío que aún mordía los portales y las calles, ajeno a la humedad que empapaba poco a poco mis botas y mi alma, deambulé por el pueblo durante toda la mañana como un superviviente en medio de los restos de un naufragio. Después, repartí con la perra las sobras de la cena de la noche anterior, encendí aquel cigarro que con tanto trabajo había conseguido guardar para ese instante —hacía dos semanas que el tabaco se me había terminado— y me senté en el corredor a contemplar la victoria del sol sobre el invierno.

En tres o cuatro días, la nieve se deshizo por completo. El agua del deshielo destruyó en las cunetas los últimos taludes y las calles quedaron inundadas por el barro. Al mismo tiempo, las casas comenzaron a enseñar sus muñones mutilados y sus huesos. Bajo el manto uniforme de la nieve, Ainielle había recobrado la imagen homogénea de otro tiempo, pero, ahora, junto a las grietas y ruinas más antiguas, el sol desenterraba los fieros desgarrones que aquel último invierno había producido en muchas de las casas. Unas aparecían mordidas por el viento, con los tejados reventados y las paredes cuarteadas por crueles hendiduras. Otras, más viejas y más tiempo abandonadas —como la de Juan Francisco o las cuadras de Acín y de Santiago—, habían sucumbido definitiva y finalmente a su derrota y ahora yacían en el suelo convertidas en un montón de piedras y maderas corrompidas por la nieve. Yo vagaba entre ellas recordando a sus dueños, entraba en los portales invadidos por las zarzas y recorría las cocinas y las habitaciones arrasadas como un general loco que regresara en solitario a las trincheras en las que todos sus soldados habían desertado o estaban muertos.

Una mañana, el sol desenterró también la sombra de Sabina bajo el barro. La perra y yo volvíamos del monte, de colocar entre la nieve los cepos y las trampas (en el barranco de Balachas habíamos hallado dos perros devorados por los lobos y los despojos putrefactos de una cabra), cuando, al llegar cerca de casa, la perra sc detuvo de repente, se quedó completamente inmóvil en medio de la calle y comenzó a ladrar, nerviosa y asustada, como si hubiera descubierto el rastro de una víbora entre las empalizadas sepultadas por la nieve. Yo casi ya me había olvidado. Después de aquella noche —aquella larga noche en que, por vez primera, la locura depositó sus larvas amarillas en mi alma—, la paz regresó al fuego y a la casa y el recuerdo inquietante de la soga comenzó a borrarse poco a poco en la distancia. Ahora, sin embargo, también ella había regresado. Asomaba sus puntas entre el barro como una raíz más entre las de las empalizadas, pero, curiosamente, su presencia no producía ya en mi ánimo la sensación de angustia y de amenaza que aquella noche me había provocado. Ahora veía la soga como un despojo más de aquel último invierno, la lavaba en la nieve sin ningún tipo de miedo o de recelo y la secaba luego contra mis propias ropas sin recordar siquiera aquel áspero tacto que un día convirtiera mi alma en un infierno. Y, así, cuando, al volver a casa, me até de nuevo la soga a la cintura —casi sin darme cuenta, igual que entonces, como si el tiempo volviera una vez más a repetirse—, comprendí que nunca más habría de volver a abandonarme porque la soga era el alma sin dueño de Sabina.

Con ella a la cintura, a la mañana siguiente, muy temprano, bajé a Biescas. Era de noche aún cuando salí de Ainielle. Los caminos estaban embarrados y el peso de las pieles apenas me dejaba caminar. Las cambiaría en la tienda de Pallárs por tabaco y por semillas para siembra. Luego, pasaría por casa de Bescós para ajustar la guarda del rebaño aquella primavera. Recuerdo que había nieve en la collada. El ibón de Santa Orosia estaba helado y un viento frío, herido de cantuesos, bajaba de los puertos del Erata.

Aún así, al pasar por Berbusa, di un rodeo. Hacía cuatro meses que no hablaba con nadie, pero la posibilidad de poder volver a hacerlo tampoco me tentaba. Me había acostumbrado ya al silencio y, ahora, después de tanto tiempo, después de tantos meses aislado entre la nieve, el humo ya cercano de las casas y la presencia de personas por las calles —hacía ya un buen rato que había amanecido— me llenaban de temor y de recelo. Abandoné el camino antes de entrar al pueblo y, mientras me alejaba como un perro sarnoso entre los huertos, recordé con nostalgia aquellos días lejanos en que las gentes de Ainielle bajábamos en grupos, cantando por el medio del camino, felices por haber sobrevivido a la cólera implacable de otro invierno.

Ahora, sin embargo, yo era ya el único —y el último— superviviente y, por las calles de Biescas, la gente me miraba como extrañada de poder volver a verme. La noticia de la muerte de Sabina sin duda les había impresionado y más de uno tal vez había imaginado que yo me habría reunido ya con ella a lo largo de aquel primer invierno. No hablé con nadie. Dejé las pieles en la tienda de Pallárs a cambio del tabaco y las semillas —recuerdo que el dinero me alcanzó para comprar algo de aceite— y subí a casa de Bescós sin detenerme siquiera en el café como otras veces. Estaba deseando regresar a Ainielle.

Aquel invierno, también el viejo se había muerto. Como Sabina, no había resistido ya más tiempo. Me lo dijo la hija, secándose las lágrimas, mientras buscaba en el armario una carta que había llegado para mí hacía varios meses. Pobre Bescós. Todavía le recuerdo, sentado en el portal, bajo el alero de esas tejas que la luna recorta ahora en mis ojos. Había sido uno de los primeros en abandonar Ainielle.

Tenía nueve hijos y apenas cuatro tierras para mantenerlos. Al acabar la guerra, bajó a Biescas a trabajar en la hidroeléctrica y, desde entonces, yo le cuidaba las ovejas cuando subían a los puertos de Ainielle en primavera. Mil pesetas y la mitad de los corderos: ése era el último trato que los dos habíamos hecho. Pero, ahora, también él estaba muerto y los hijos habían vendido las ovejas. Nada tenía ya, pues, que hacer en Biescas. Cogí la carta y, en silencio, me despedí de la hija sabiendo que jamas volvería a verla.

La carta no la abrí hasta que estaba ya bastante lejos: junto al ibón de Santa Orosia, dando ya vista a Ainielle. Recuerdo que la brisa azotaba la collada y que tardé bastante tiempo en terminarla. Era de Andrés, la primera que escribía en muchos años. La primera, quizá, desde que se marchara. Yo casi ya le había olvidado. Por lo que contaba, Andrés se había casado y vivía en Alemania desde hacía algunos años. Junto a la carta, enviaba una fotografía, con su mujer y sus dos hijos, en la playa, dedicada por detrás para su madre.

6

Por supuesto, jamás le contesté. ¿Qué podía haberle escrito? ¿Contarle que su madre se había muerto y que yo era ya un fantasma solitario en medio del olvido y las ruinas? ¿Pedirle que olvidara para siempre los nombres de sus padres y el del pueblo en el que él mismo había nacido?

Eso ya lo sabía. Eso ya debía de haberlo imaginado cuando, después de tantos años, después de tanto tiempo sin preguntar siquiera por nosotros, escribió aquella carta condenada de antemano a no obtener jamás respuesta alguna. El tiempo acaba siempre borrando las heridas. El tiempo es una lluvia paciente y amarilla que apaga poco a poco los fuegos más violentos. Pero hay hogueras que arden bajo la tierra, grietas de la memoria tan secas y profundas que ni siquiera el diluvio de la muerte bastaría tal vez para borrarlas. Uno trata de acostumbrarse a convivir con ellas, amontona silencios y óxido encima del recuerdo y, cuando cree que ya todo lo ha olvidado, basta una simple carta, una fotografía, para que salte en mil pedazos la lámina del hielo del olvido.

Cuando Andrés se marchó, su madre le lloró como si hubiera muerto. Le lloró como a Sara. Le lloró y le esperó, hasta su propia muerte, lo mismo que a

Camilo. Yo, en cambio, el día en que se fue, ni siquiera me levanté de la cama a despedirle.

Fue un día de febrero, en el cuarenta y nueve, un día gris y frío que ni Sabina ni yo jamás olvidaríamos. La mañana anterior, Andrés nos lo había dicho. En realidad, lo había dicho varias veces a lo largo de aquel último año. Pero aquella mañana, una extraña tristeza en su mirada y en su voz nos advirtió que al fin había tomado la decisión definitiva. Ni su madre ni yo le respondimos. Sabina se escondió a llorar en algún cuarto y yo seguí sentado junto al fuego, inmóvil, sin mirarle, como si no le hubiera oído. Él ya sabía lo que yo pensaba. Se lo había dicho claramente el primer día. Si se marchaba de Ainielle, si nos abandonaba y abandonaba a su destino la casa que su abuelo había levantado con tantos sacrificios, nunca más volvería a entrar en ella, nunca más volvería a ser mirado como un hijo.

Aquella noche, ni Sabina ni yo conseguiríamos dormirnos. Aquella noche —jamás la olvidaré—, Sabina y yo la pasamos entera sin dormirnos, sin hablarnos, escuchando el lamento de la lluvia en los cristales y contando las horas que faltaban para que despuntara el nuevo día. Antes de amanecer, Sabina se levantó a encender el fuego y a prepararle a Andrés el desayuno. (Por la noche, mientras Andrés y yo cenábamos —uno enfrente del otro, en silencio, sin mirarnos—, ya le había hecho la maleta y la comida para el viaje.) Yo me quedé en la cama, hundido en la penumbra, escuchando la lluvia en los cristales y los pasos de Sabina en la cocina. No tardé en oír también las pisadas de Andrés por la escalera. Había un silencio extraño dentro de la casa. Un silencio que sólo años después volvería a recordar al quedarme solo en ella tras la muerte de Sabina. Durante largo rato, inmóvil en la cama, inmóvil como ahora (si Andrés volviera a entrar, me encontraría exactamente igual que entonces), escruté aquel silencio tratando de saber lo que pasaba en la cocina. Pero no pude oír nada. Sólo, de vez en cuando, algún murmullo oscuro y desvaído me indicaba, a través de las paredes, que Sabina debía de estar dándole a Andrés los últimos consejos, las advertencias últimas que la emoción de la despedida y la segura presencia de las lágrimas acabarían sin duda convirtiendo en súplicas: escríbenos, no hagas caso a tu padre, olvida lo que te dijo y vuelve siempre que quieras.

Amanecía cuando escuché la puerta. Al principio, creí que era la puerta de la calle y pensé que Andrés se iba a marchar sin despedirse. Pero los pasos cruzaron el pasillo, subieron muy despacio la escalera y se pararon finalmente ante este cuarto. Andrés tardó bastante en decidirse. Cuando lo hizo, se quedó quieto al lado de la puerta, mirándome en silencio, sin atreverse siquiera a acercarse hasta la cama. Yo le sostuve unos instantes la mirada y, luego, antes de que pudiera decir nada, me volví y me quedé mirando a la ventana hasta que se marchó.

La partida de Andrés resucitó las sombras de Sara y de Camilo. La partida de Andrés dejó un vacío tan grande dentro de la casa que, aunque su nombre nunca más volvió a ser pronunciado dentro de ella, tampoco nada ya volvería a ser igual desde aquel día. Era lógico. Con Andrés no se iba sólo un hijo. Con Andrés se iban también las últimas posibilidades de supervivencia de la casa y la única esperanza de ayuda y compañía que, en la vejez cada vez más cercana y más temida, su madre y yo tendríamos un día. Por eso, aquella vez, cuando, al amanecer, Andrés cerró a su espalda la puerta de la casa y se alejó en silencio, en medio de la lluvia, en dirección a la frontera, por el camino viejo de los contrabandistas, los fantasmas de Sara y de Camilo regresaron a la casa para llenar el hueco que su hermano había dejado.

En realidad, la sombra de Camilo jamás había llegado a desaparecer definitivamente de la casa. Antes por el contrario, vagaba por los cuartos y las habitaciones y, en las noches de invierno, ardía entre los troncos proyectando su aliento a nuestro alrededor. Durante muchos años, habíamos tratado de aceptar aquello que la muerte no podía asegurarnos. Durante muchos años, habíamos tratado de vivir de espaldas al recuerdo y de olvidar incluso la esperanza. Pero es difícil acostumbrarse a convivir con un fantasma. Es muy difícil borrar de la memoria las huellas del pasado cuando la duda alimenta el deseo y acumula esperanzas sobre la negación. La muerte tiene, al menos, imágenes tangibles: la tumba, las palabras, las flores que renuevan el rostro del recuerdo y, sobre todo, esa conciencia clara de la irreversibilidad que se asienta en el tiempo y convierte la ausencia en costumbre añadida. La desaparición, en cambio, no tiene límites ni aun para sí misma; no es un estado, sino su negación.

Al principio, tanto Sabina como yo nos resistimos a admitir aquello que el silencio venía sugiriendo y el tiempo y la razón hacían presagiar. Sabina se negó, de hecho, hasta su muerte y, aunque nunca lo dijo, esperó algún milagro hasta el último día. Pero el milagro era imposible. La guerra terminó, los días y los meses pasaron sin noticias y la resignación fue poco a poco suplantando a la esperanza y la melancolía a la desesperación. Camilo no volvió. Su nombre jamás apareció entre las largas relaciones oficiales de los muertos, pero él nunca volvió. Sólo su sombra regresó a la casa y se fundió en las sombras de las habitaciones mientras su cuerpo se pudría en cualquier fosa común de cualquier pueblo de España y en el recuerdo helado de aquel tren militar que partió una mañana de la estación de Huesca para no regresar más.

Era lógico, pues, que Camilo volviera, al cabo del olvido y al cabo de los años, para ocupar el sitio dejado por su hermano. Él era, en realidad, el primer heredero. Él era, en realidad, el designado por la sangre y la costumbre para heredar mi puesto, el día en que muriera, al frente de la casa. Y, ahora, regresaba del fondo de la noche, al cabo del olvido y al cabo de los años, como un fantasma antiguo a reclamarlo.

Fue el fantasma de Sara el que yo no esperaba. Hacía tanto tiempo de su muerte, habían transcurrido tantos años desde aquel lejano día en que su respiración febril y atormentada se detuvo para siempre, que casi había conseguido ya olvidarla. Una tarde, sin embargo, apenas días después de que Andrés se marchara, vi a Sabina a lo lejos salir del cementerio. Ella a mí no me vio. Yo volvía del monte, de encerrar el rebaño, y esperé entre unos árboles hasta que se alejó. Luego, me acerqué lentamente y, asomado a la tapia, descubrí anonadado la razón y el motivo de su extraña visita. Allí, en el rincón sombrío y ya olvidado, junto a los viejos muros que la humedad y las ortigas desbordaban, la pequeña sepultura de Sara había resurgido entre las zarzas y volvía a tener flores frescas, recientes, después de tantos años.

Por supuesto, jamás comenté nada. Sabina siguió yendo al cementerio casi cada semana y yo guardé en silencio aquel secreto que ya todos en Ainielle comentaban en voz baja. Una noche, sin embargo, también a mí me llamó Sara. Recuerdo que serían las dos de la mañana. De repente, sin saber muy bien por qué, me desperté sobresaltado. Era una noche clara. La brisa atravesaba las hojas del nogal y la luna iluminaba débilmente la ventana. El silencio de la noche era perfecto, igual que ahora, pero había un ruido extraño dentro de la casa. Un jadeo monótono, lejano, indescifrable, como una respiración entrecortada. Miré a Sabina. Ella seguía durmiendo, silenciosa, a mi lado, como una sombra quieta entre las sábanas. Evidentemente, no era ella la que respiraba de aquel modo tan extraño.

Ahora, me parece imposible todavía que, en ese mismo instante, no hubiera comenzado a intuir ya algo. Pero, entonces, yo estaba todavía tan lejos de saber lo que el destino me tenía reservado que, sin pensarlo, me levanté con sigilo de la cama —para no despertar a Sabina y alarmarla— y abandoné la habitación dispuesto a descubrir la causa y el origen de aquel ruido tan extraño. En el pasillo, la oscuridad me confundió por un instante. Desde allí, podía oír ya más clara y más cercana aquella respiración entrecortada —ya no tenía duda alguna de que, efectivamente, era una respiración lo que escuchaba—, pero, al principio, creí que procedía del final de la escalera y pensé que, tal vez, alguno de los perros, sin nosotros darnos cuenta, había quedado dentro de la casa. Fue al llegar al final de la escalera, al pasar junto a la puerta que yo mismo había cerrado con candado hacía veinte años, cuando, de pronto, me di cuenta de que estaba equivocado. La respiración no sonaba en la escalera ni había ningún perro dentro de la casa. La respiración sonaba justo allí, detrás de aquella puerta, en la pequeña habitación cerrada con candado desde hacía veinte años en la que había agonizado y muerto Sara.

Durante unos segundos, me quedé paralizado. Durante unos segundos, inmóvil en el medio del pasillo, inmóvil como un árbol, sentí cómo la muerte atravesaba las paredes de la casa y arañaba las puertas y arrancaba jirones del viento y de mi alma. Fueron sólo unos segundos, apenas un instante. El tiempo suficiente, sin embargo, para que, cuando, al fin, logré sobreponerme a la sorpresa y comencé a retroceder por el pasillo sin atreverme a abrir la puerta, ni tan siquiera a volverme y dar la espalda, aquella respiración febril y entrecortada se hubiera hundido ya como una hoja de hierro en mi memoria removiendo el recuerdo de aquella larga asfixia, de aquel jadeo ahogado e interminable que consumió el cuerpo de Sara lentamente, atormentadamente, antes de detenerse, de pronto, una mañana, al cabo de diez meses, justo el día en que cumplía cuatro años.

Aquello volvería a repetirse muchas veces a lo largo de todos estos años. De repente, igual que aquella noche, un sueño extraño me sobresaltaba y, al despertar, ya sabía que era ella, que estaba dentro de la casa y me llamaba. Nunca volví a acercarme, sin embargo, a aquella puerta ni a levantarme de la cama en medio de la noche. Nunca supe tampoco si Sabina llegó a oír también alguna vez aquella respiración febril y atormentada. Ella siguió yendo al cementerio a dejar flores, casi cada semana, hasta el día en que los hombres de Berbusa me ayudaron a llevarla para siempre junto a Sara.

Por eso, jamás le contesté. Por eso, jamás perdoné a Andrés el que se fuera abandonándonos y abandonando a sus hermanos. Por eso, aquella tarde, en la collada, rompí su carta y su fotografía y las tiré al ibón de Santa Orosia para que se pudrieran en el fondo de las aguas poco a poco, lentamente, lo mismo que se pudren en las ciénagas del tiempo los recuerdos.

7

Aquel año transcurrió con mayor lentitud que de costumbre. Todos, en realidad, a partir de aquel primero, transcurrirían ya de igual manera: cada vez más premiosos y monótonos, cada vez más cargados de indolencia y de melancolía. Era como si el tiempo se hubiera congelado de repente. Como si el viejo río de los días se hubiera detenido bajo el hielo convirtiendo mi vida en un interminable e inmenso invierno. Ahora miro hacia atrás buscando aquellas tardes, remuevo en mi memoria las hojas del silencio y encuentro solamente un bosque sepultado, deshecho por la niebla, y un pueblo abandonado por el que cruzan los recuerdos como espinos arrastrados por el viento.

A partir de aquel año, ya no volví a los puertos. Al morirse Bescós, sus hijos vendieron las ovejas y la desolación cayó también como una peste sobre las bordas y los páramos de Ainielle. Podía haber hallado fácilmente otro rebaño que cuidar, en Broto o en Sabiñánigo, incluso en Biescas, pero me sentía ya cansado y viejo, sin fuerzas ni ilusión para pasar un año más detrás de las ovejas de otro dueño. Al fin y al cabo, ya no tenía a nadie para quien trabajar ni a quien dejarle nada el día en que muriera. Ya no tenía siquiera que cuidar de que jamás faltara leña para la chimenea. Y, para mí, cansado ya de todo, cansado y solitario y sin necesidad alguna ni deseo, con la caza y la cosecha de los huertos —de los que yo era ya su único dueño— tendría suficiente.

Al final, terminé acostumbrándome. No tenía otro remedio. Pero, al principio aquellos días primeros, me costó bastante esfuerzo superar la inesperada sensación de soledad que se adueñó de mí con la llegada del buen tiempo. No es que hasta entonces no hubiera ya sentido aquella extraña angustia que todavía hoy roe mi alma como una hiedra seca. Las largas noches del invierno sentado junto al fuego habían ya minado mi ánimo y mis fuerzas. Pero, mientras duró la nieve, mientras la niebla y el silencio borraron de la tierra las casas y los árboles de Ainielle, la soledad era la misma de todos los inviernos. Qué más daba que ya no hubiera nadie con quien pasar la noche junto a la chimenea. Qué importaba que, conmigo, ya nadie compartiera el miedo a la locura y el vértigo infinito del invierno. Era una maldición lejana y sin remedio, una condena antigua que la resignación y la impotencia habían convertido ya en costumbre desde hacía mucho tiempo. Pero, ahora, la vida brotaba nuevamente en torno mío, el sol sacaba sangre de las piedras y cristales de las casas y, en medio del silencio, el grito de los bosques acentuaba más aún la sensación de soledad que, hasta entonces, había inútilmente tratado de ocultar tras la presencia indestructible y culpable de la nieve.

Pasé la primavera trabajando en los bancales y én el huerto y arreglando los destrozos que en la casa había causado aquel último invierno. El viento había arrancado la puerta de la cuadra y destrozado algunas losas. Tuve también que reparar algunas vigas del portal, que el hielo y la humedad habían ya podrido por completo. Las envolví con sacos y las apuntalé con otras nuevas traídas de la casa de Gavín. Luego, me dediqué a arrancar los cardos y los líquenes que habían comenzado ya a invadir la cuadra y la pared del cobertizo. Entonces, todavía, no podía o no quería darme cuenta. Pero, ahora, sé muy bien que todo aquello era una simple forma de ocupar el día en lo que fuera, una manera de mentirle al cielo y a mí mismo para tratar de no pensar, para tratar de no volverme loco antes de tiempo.

Todo fue inútil, sin embargo. Poco a poco, fue invadiéndome el cansancio y el desánimo, la infatigable actividad de los primeros días dejó paso a un cruel y progresivo abatimiento y, así, cuando llegó el verano, me encontré ya deambulando nuevamente como un perro abandonado por el pueblo. Los días eran largos, perezosos, y la tristeza y el silencio se abatían como aludes sobre Ainielle. Yo pasaba las horas vagando por las casas, recorría las cuadras y las habitaciones y, a veces, cuando el anochecer se prolongaba mansamente entre los árboles, encendía una hoguera con tablas y papeles y me sentaba en un portal a conversar con los fantasmas de sus antiguos habitantes. Pero las casas no estaban sólo llenas de fantasmas. El polvo y las arañas cegaban las ventanas y, en las habitaciones, la humedad y el olvido espesaban el aire hasta hacerlo irrespirable. Todo estaba en función del tiempo que llevaran ya cerradas. Las había aún intactas, como la de Aurelio Sasa, con los armarios y las mesas en sus sitios y las camas recién hechas, tal si esperaran todavía, igual que perros fieles, el regreso imposible de unos dueños que hacía varios años habían decidido abandonarlas. Otras, en cambio, como la de Juan Francisco o como la antigua casa de la escuela, yacían en el suelo completamente hundidas, con las paredes desplomadas y los muebles sepultados bajo un montón de escombros y de líquenes. En unas, el musgo crecía ya como una oscura maldición por los tejados. En otras, las zarzas que invadían los portales y las cuadras se habían convertido en árboles auténticos, en bosques interiores cuyas raíces reventaban los muros y las puertas y en cuyas sombras anidaban la muerte y los fantasmas. Pero todas, al fin, más viejas o más nuevas, más tiempo o menos tiempo abandonadas, aparecían ya entonces heridas por la nieve, roídas por óxido, convertidas en refugio de las ratas, las culebras y los pájaros.

Una tarde de agosto, en la casa de Acín, ocurrió la desgracia. La casa ya es tan sólo un resto de maderas y piedras arruinadas, un rastro de cimientos que marcan en la tierra —entre la madreselva y las ortigas— el espacio violado que algún día ocupó. Pero recuerdo todavía su antigua reciedumbre, la soledad de sus paredes al borde del camino de Escartín. La casa hacía ya años que estaba abandonada. Había sido, en realidad, de las primeras en cerrarse: al comenzar la guerra, sus dueños la evacuaron —igual que todo el pueblo— y no volvieron más. Recuerdo, pese a ello, al viejo matrimonio, sentado ante su puerta y siempre solo, y recuerdo a aquel niño (también yo lo era entonces) al que, según decían, tenían encerrado en el establo, con las caballerías, para que nadie viera su horrible raquitismo y su monstruosidad. Se decía también que, por las noches, lo amarraban a las barras de la cama y que se le oía gemir hasta el amanecer. No sé si era verdad. Yo nunca logré verle y, aunque en más de una ocasión, al pasar por el camino delante de la cuadra, me asomé al ventanucho temblando por el miedo y la emoción, tampoco nunca logré oír, entre las respiraciones de las bestias, los gritos y gemidos animales de que hablaban en el pueblo. Un día —tendría yo diez años—, el niño se murió. Le enterraron de noche, sin tocar las campanas, y el silencio y el tiempo cayeron sobre él. Pero, a pesar de ello, a pesar del silencio y de los años ya pasados desde entonces, su sombra siguió siempre alrededor de la casa como un triste recuerdo o como una maldición. Sobre todo, desde que Acín y su mujer se marcharon del pueblo abandonando a su destino la casa y la memoria de su hijo.

Yo había pasado muchas veces junto a ella sin atreverme a entrar. La puerta y las ventanas seguían conservando sus férreas cerraduras y, aunque la vieja cuadra había sucumbido aquel último invierno —y, con ella, la sombra del niño condenado a vivir como uno más entre los animales—, la soledad del caserón y su mutismo impenetrable continuaban rodeándole de un trágico misterio y de una inexplicable y sórdida atracción. Aquella tarde, sin embargo, sólo el azar me llevó allí. Sólo el azar y la fatalidad que, en todos estos años, ha guiado mi destino. Era la hora de la siesta, el sol rompía el aire y agrietaba la tierra y arrancaba crujidos de las zarzas y los robles calcinados. Yo subía la cuesta, de regreso hacia el pueblo, y me detuve a descansar en el portal. Seguramente, era la primera vez que me sentaba allí: al lado de la puerta, sobre la vieja piedra en la que, en otro tiempo, acostumbraban a sentarse Acín y su mujer. Aquel verano, la sequía había agostado los campos y las fuentes y los lagartos invadían los huertos y corrales de las casas. En torno a la de Acín, separada del pueblo y, por ello, más tranquila, sesteaban confiados sobre las piedras de la cuadra y entre los cardos del camino, ajenos por completo a mi presencia. Apoyado en la pared, con la perra a mis pies y el cigarro apagándose en los labios, recuerdo que empezaba a quedarme adormecido —aquel día había subido al monte muy temprano— cuando, de pronto, sentí un dolor agudo en una mano. En un primer instante, pensé que habría sido alguna púa de espino que se me habría prendido de la chaqueta o el pantalón. Pero, en seguida, oí aquel siseo frío, viscoso, inconfundible, que se arrastraba por el suelo entre mis pies. Salté como un resorte de mi asiento justo cuando la perra comenzaba ya a ladrar: los pelos erizados de repente, los dientes contraídos, las patas arañando las piedras del portal. Pese a la rapidez con la que todo había ocurrido, aún tuve tiempo de ver cómo la víbora se deslizaba lentamente por debajo de la puerta y se perdía para siempre en las profundidades insondables de la casa.

Aterrado, abandoné el portal y salí al medio del camino. La picadura me abrasaba la palma de la mano y un negro escalofrío me recorría el corazón como una quemadura. Pero sabía que no tenía ni un segundo que perder. Me quité el cinto y, con ayuda de los dientes, lo até con fuerza a la muñeca para tratar de detener el avance de la sangre por el brazo. Luego, con la navaja, abrí un profundo corte sobre la picadura y, conteniendo el dolor y el nerviosismo, chupé el veneno de la herida y lo escupí con rabia sobre la tierra seca y cuarteada del camino. Han pasado ya ocho años desde entonces, pero, aunque pasaran treinta más, jamás podría olvidar aquel tacto viscoso, aquel sabor podrido, dulzón, inconfundible, del veneno fluyendo de la herida.

Cuando entré en casa, lo primero que hice fue encender la chimenea y poner agua a calentar en una pota. Mientras hervía, salí a la calle por ortigas. Su jugo, mezclado con aceite, lo apliqué sobre la herida y, luego, la cubrí con un trozo de sábana empapada en alcohol y barro crudo. Era el remedio con el que

—recordaba— Bescós había tratado de salvar al perro del tío Justo. Al perro, la víbora le había picado en la cabeza y, al final, nada se pudo hacer para salvar su vida. Pero, ahora, yo no tenía otra elección. Estaba solo en medio de estos montes y con el médico más próximo a casi cuatro horas de camino.

Durante varios días, entre estas mismas sábanas, luché contra la muerte completamente solo, desesperadamente solo, sin nadie a quien llamar para pedir ayuda. La mano se me hinchó hasta ocultar el cinto con su carne y la fiebre subió como un vómito blanco por los caminos subterráneos de la sangre. Nunca pude saber el tiempo que así estuve, temblando por la fiebre y delirando. Los días y las noches se sucedían confundidos en una mancha informe y los barrotes de la cama se deshacían ante mí como árboles en medio de la niebla. Recuerdo, sí, que el sol entraba a veces hasta la habitación para aumentar aún más el peso de las sábanas —aquella pasta sucia— y que la perra ladraba tristemente en la escalera, tumbada ante la puerta, aunque su voz llegaba a mí lejana y en sordina, como nacida a muchos metros de distancia. ¡Qué extraño veo ahora todo aquello! ¡Qué extraño y qué irreal al cabo de los años! Yo estaba —como ahora— a punto de morirme en esta cama y, sin embargo, lo único que entonces me preocupaba de verdad era saber que, si moría, también la perra moriría, atrapada sin remedio dentro de la casa. Pero yo no tenía fuerzas para bajar a abrirle la puerta de la calle. Ni siquiera podía ya pensar en levantarme de la cama. Al anochecer del primer día, la fiebre había subido más allá de cualquier grado soportable y la mano me dolía como si fuese a reventar. Pronto entré en un estado de gran excitación. Me revolvía entre las sábanas buscando en sus extremos un poco de frescor. Tenía sed. Pero el jarrón del agua estaba ya vacío y mi lengua se había convertido en un despojo informe y pegajoso que ni siquiera servía ya para tratar de humedecer los labios. Era como si el agua se hubiese evaporado al contacto con mi sangre. Como si el fuego que brotaba de la herida me abrasara las venas y quemara los huesos y buscara en mi boca salida a su dolor.

Hacia la medianoche, la fiebre tocó techo. Todo mi cuerpo ardía como una antorcha viva y ni siquiera sentía ya el desgarrón brutal del cinto entre la carne tumefacta. Nunca podré saber el límite real que habían alcanzado la hinchazón de la mano y su temperatura. Sólo sé que, de pronto, mis ojos se llenaron de un vaho azul y espeso y que, a continuación, perdí el conocimiento.

A partir de ese instante, el recuerdo se rompe en miles de partículas, en un vaivén confuso de imágenes febriles que apenas puedo ya reconocer como vividas. Hay en mí, sin embargo, un vapor de memoria, una luz muy lejana que ilumina la noche y rescata recuerdos del umbral de la muerte. Sabina apareciéndose detrás de la ventana. La perra estremecida, aullando tras la puerta. Sabina arrodillada al borde de la cama. La perra devorando mi mano tumefacta. Ahora pienso que aquello era sólo la fiebre, la zozobra de un sueño que ha durado hasta hoy. Pero, ¿podría asegurar que todo era mentira? ¿Podría de verdad negar que aquella noche Sabina estuvo aquí? Sólo la perra y ella podrían ya decírmelo. Sólo la perra y ella y, acaso, esa ventana cuyos cristales aún conservan el vaho de su aliento. Yo temblaba de frío sudando entre las sábanas, deliraba entre sueños, con los ojos abiertos, cuando la descubrí. Estaba en la ventana, detrás de los cristales, vestida todavía como la última vez. Si ahora volviera a verla

—la ventana está abierta, igual que aquella noche—, sin duda sentiría el miedo y el espanto que entonces no sentí. Si ahora volviera a verla, inmóvil en la noche, suspendida en el aire, detrás de los cristales, me escondería como un niño debajo de las mantas gritando que se fuese, rezando por su alma, pidiéndole perdón. Pero, aquel día, la fiebre y la locura mandaban en mi alma y el desamparo de Sabina surgiendo de la noche tan sólo me produjo una lástima inmensa y un profundo dolor. Cerré los ojos un instante tratando de olvidarla, pero, al abrirlos, la vi ya al borde de la cama, mirándome a los ojos, como si no reconociera mi cara ni mi voz.

Mientras duró la fiebre, Sabina no se fue ni un solo instante de mi lado. Dejó entrar a la perra y, mientras ésta me lamía, interminablemente, la herida de la mano, ella permanecía mirándome, hundida en la penumbra, como una sombra más entre las sombras de la casa. Quizá esperaba, para velar mi cuerpo, hasta que alguien me encontrase y me enterrase. (Quizá esta noche, cuando todo termine, volverá nuevamente a hacerme compañía hasta el día en que los hombres de Berbusa me descubran y me lleven para siempre junto a ella.) Yo la veía entre sueños, borrada por la fiebre, de pie junto a la cama o arrodillada en el rincón de la ventana. Recuerdo que rezaba. Su voz era la misma de cuando aún estaba viva, pero sonaba en mis oídos de una forma muy extraña: áspera, seca, sin eco, como nacida de una boca sin garganta. Ignoro el tiempo que permaneció rezando. De pronto, yo me quedé dormido y, cuando volví a mirarla, en lugar de su voz lo que oí fue una respiración profunda al otro lado de la cama. Tardé en reconocer la habitación y el fuerte resplandor de los cristales. No sé si era la luna. No sé si amanecía o si, por el contrario, aún era de noche y era mi propia fiebre la que incendiaba y convertía en un espejo la ventana. Me incorporé en la cama y miré a mi alrededor. Sabina seguía ahí, al lado de la puerta, sin dejar de mirarme un solo instante. Pero la perra ya no estaba. En su lugar, un niño monstruoso, con la cabeza deformada y una crin de caballo recorriéndole la espalda, sostenía entre las suyas el bulto dolorido y tumefacto de mi mano. Desde el primer momento, comprendí quién era él. Pese a que nunca antes le había visto, desde el primer momento reconocí en su ceguera la oscuridad de la cuadra de la casa de Acín. Él me miró también, como si me conociera, y comenzó a reír. Era una risa áspera, seca, sin eco, nacida de una boca sin dientes ni garganta. Era una risa muerta que parecía brotar de las profundidades de la tierra y que estallaba en mi cerebro como si nunca más se fuera ya a acallar. Aterrado, con la mirada helada por el horror y por la fiebre, pero conciente ya de que no estaba dormido, me di la vuelta para dejar de verle —para borrar lo antes posible de mis ojos aquellas crines negras y aquella horrible boca desdentada— y fue entonces, en ese mismo instante, al volverme hacia esa puerta frente a la cual Sabina seguía inmóvil y en silencio, como si ella no le viera ni le oyese, cuando entendí por fin la causa de su risa y la razón de su presencia al lado de mi cama: cientos de víboras se arrastraban lentamente por debajo de la puerta, trepaban por los muebles y las barras de la cama, se enroscaban en las mantas y en los pliegues sudorosos de las sábanas y se perdían finalmente reptando por mis venas a través de la herida que yo mismo había abierto con la punta de un cuchillo para extraer el veneno de mi mano.

Es la última imagen que conservo de aquello. La última que aún sigue prendida de mis ojos como un resto de fiebre o como la reverberación final de un sueño interrumpido que, al cabo de los años, regresa nuevamente. Luego, sólo la oscuridad. Sólo la larga noche y el silencio.

Cuando me desperté, un sol brutal me golpeó la cara. Debió de ser alrededor del mediodía. Recuerdo todavía aquella luz intensa y aquel sudor espeso que empapaba y fundía mi piel contra las sábanas. Tardé en abrir los ojos. Acostumbrados a la noche —la larga e inmensa noche de los muertos—, se resistían a absorber aquel alud de fuego y a descubrir sobre la cama la momia descarnada en que, sin duda alguna, las víboras y el sol habrían convertido ya mi cuerpo. Durante unos segundos, con los ojos cerrados, traté de recobrar la estela de la noche y el dulce bálsamo del sueño. Durante unos segundos, llegué, incluso, a aceptar que yo ya estaba muerto. Pero sabía que era incierto. Poco a poco fui abriendo los ojos, con miedo y con recelo, presto para cerrarlos nuevamente y para siempre. Pero no hubo porqué. Cuando, por fin, me acostumbré a aquella luz ardiente, vi mi cuerpo aún intacto encima de la cama, mi mano deformada por la presión del cinto y, envuelta en el silencio, la habitación vacía, solitaria y vacía, lo mismo que esta noche.

Aún tardé varios días en poder levantarme. El sudor y la fiebre me habían agotado. Poco a poco, sin embargo, la hinchazón de la mano fue bajando y la euforia de saberme ya salvado me ayudó a recuperarme. A la semana, estaba ya en la calle. Ayudándome al principio de un bastón —el mismo que mi padre, al final de su vida, había gastado—, reanudé mis paseos por el pueblo y mis visitas clandestinas a las casas. Pero nunca volví a acercarme a la de Acín. Nunca volví a pasar frente al portal en el que él y su mujer acostumbraban a sentarse y donde yo había estado a punto de encontrar la muerte aquella tarde. Sólo después de tres o cuatro años, una noche de invierno en la que el agua y la ventisca habían acabado finalmente de arrumbarla, me asomé con la linterna entre los muros arruinados. Era noche cerrada. El viento removía los escombros y la lluvia me cegaba. Pero, a pesar de todo, a pesar de la noche, a pesar de la lluvia y del temor que me embargaba, a la luz de la linterna aún pude ver, entre las vigas y las tejas derrumbadas, una cama de niño casi intacta. Cuatro gruesas correas colgaban de sus barras —como dispuestas todavía para amarrar a alguien a la cama— y, en medio del colchón, una piara de víboras había hecho su nido entre la lana.

8

De repente, me ha vuelto el dolor: seco, profundo, asfixiante. Como si una cría de víboras hubiera hecho su nido en mis pulmones.

Durante unos segundos, me corta el aliento, bloquea mi memoria y mi respiración. Durante unos segundos, escarba en mis pulmones como un perro. Luego, se va desvaneciendo lentamente, lentamente, dejándome un sol frío e incandescente bajo el pecho.

Desde que me asaltó por vez primera —aquel día de marzo, en Cantalobos—, supe que en él latía una amenaza inconfundible. Era entonces aún un dolor muy lejano, apenas un crujido de humo en los pulmones que ni siquiera me impidió seguir con mi trabajo (estaba recogiendo aliagas para el fuego). Pero, en aquel crujido, reconocí en seguida la misma asfixia lenta que un día destruyera la vida y los pulmones de mi hija.

Con el paso del tiempo, el dolor fue creciendo. Primero muy despacio, intermitentemente. Luego ya, cada vez más deprisa, cada vez más presente en mis ojos insomnes y en mi respiración. Debo reconocer, ahora, sin embargo, que nunca, en este tiempo, me ha aterrado la idea ya cercana de la muerte. Desde el primer instante, acepté su certeza como algo inevitable y manifiesto. Desde que comenzó a roer mi memoria y mi aliento, asumí su presencia como una maldición a la que, en realidad, estaba condenado desde hacía mucho tiempo. Y, ahora que ya está aquí, respirando conmigo a través de mi propia garganta, ahora que el tiempo acaba y las últimas luces comienzan a apagarse poco a poco dentro y fuera de mis ojos, la muerte se me muestra como un dulce descanso que, incluso, puede ser objeto de deseo.

Uno cree que nunca podrá aceptar sin miedo la idea de la muerte. Cuando aún somos jóvenes, la vemos tan lejana, tan remota en el tiempo, que su misma distancia la hace inaceptable. Luego ya, a medida que los años van pasando, es justamente lo contrario —su mayor cercanía— la que nos llena de temor y nos impide en todo instante mirarla cara a cara. Pero, en cualquiera de los casos, el miedo es siempre el mismo: miedo a la iniquidad, miedo a la destrucción, miedo al frío infinito que el olvido comporta.

Recuerdo que, de niño, ya intuía el inmenso vacío que esconden tras sus párpados los ojos de los muertos. Recuerdo, incluso, aún, con precisión extraña, el día en que descubrí el rostro inolvidable de la muerte. Tenía yo seis años. El abuelo Basilio, el padre de mi padre —sólo conservo de él la imagen de sus botas junto al fuego—, hacía varios días que no se levantaba de la cama. Mi madre iba y venía subiéndole comidas —que el abuelo no probaba— y mi padre apenas se alejaba de la casa. Pero, a mí, no me dejaban entrar a visitarle. Una tarde de invierno, al volver de la escuela, vi a mi padre en la cuadra construyendo una gran caja. Se hallaba tan absorto en su trabajo que ni siquiera se dio cuenta de que yo estaba mirándole. En la cocina, no había nadie. Esperé durante un rato calentándome a la lumbre y, cuando me cansé, subí arriba en busca de mi madre. Yo no sé si ya entonces intuía lo que aquí acababa de ocurrir aquella tarde. Ignoro si sabía para qué servía la caja que mi padre estaba haciendo, casi a oscuras, en la cuadra. Sólo recuerdo que, al llegar al final de la escalera, oí a mi madre llorar tras una puerta y que, asustado, corrí a buscarla al cuarto del abuelo. No estaba allí. Mi madre se había ido a llorar en otro cuarto. En el suyo, el abuelo estaba solo, inmóvil en la cama, con la cabeza colgando de la almohada y los ojos inmensamente abiertos.

A lo largo de mi vida, y desde entonces, he visto muchas veces las últimas miradas de los muertos. He visto, ya vacíos, los ojos de mis padres, los ojos de mi hija, los ojos amarillos y heridos por la nieve de Sabina. A lo largo de mi vida, me ha tocado cerrar, incluso, algunas veces, esos párpados rígidos que ocultan para siempre sus últimos reflejos. Siempre he sentido el mismo vértigo. Siempre el mismo frío intenso que una tarde de invierno me invadiera ante los ojos transparentes y sin vida de mi abuelo.

Hace tiempo, sin embargo, que el vértigo y el frío de la muerte han dejado ya de darme miedo. Antes de descubrir dentro de mí su negro aliento, antes aún de quedar solo en Ainielle, como una sombra más entre las sombras de los muertos, mi padre me había ya enseñado con su ejemplo que la muerte es solamente un primer paso en nuestro viaje sin retorno hacia el silencio. Mi padre había sido siempre un hombre fuerte, un hombre endurecido en el trabajo y en la lucha contra esta tierra estéril e irredenta. Un día, sin embargo, cayó enfermo y ya no volvió nunca a levantarse de su sitio en el escaño junto al fuego. Sabía que tenía ya los días contados. Sabía que la lechuza que cantaba por las noches en el huerto —y que Sabina se esforzaba en espantar con gritos y con piedras— estaba allí para anunciar su muerte. Pero él nunca manifestó ningún temor. Jamás dejó entrever la menor sombra de miedo. Una tarde, cerca ya el anochecer, le vi venir por la calleja caminando torpemente. Le pregunté a dónde había ido y él se quedó mirándome con una gran tristeza. Vengo de ver el sitio —recuerdo que me dijo— al que me llevaréis muy pronto y para siempre. A la mañana siguiente, Sabina le encontró en la cama muerto.

Aquella última frase de mi padre ha seguido siempre fija en mi memoria. Aquella fría aceptación de la derrota me conmovió tan hondamente que, con el tiempo, habría de servirme para enfrentarme cara a cara con la muerte. Sin miedo. Sin desesperación. Sabiendo que es en ella donde, al fin, encontraré consuelo a tanto olvido y tanta ausencia. Me sirvió entonces, cuando encontré a Sabina ahorcada en el molino, para arrastrarla hasta esta casa en medio de la nieve. Me sirvió luego, cuando quedé solo en Ainielle, para aceptar que yo también estaba muerto en la memoria de mi hijo y de los hombres que un día fueron mis amigos y vecinos. Me sirve ahora, al cabo de los años, cuando el dolor encharca mis pulmones como una lluvia amarga y amarilla, para escuchar sin miedo a la lechuza que anuncia ya mi muerte entre el silencio y las ruinas de este pueblo que, dentro de muy poco, morirá también conmigo.

9

En realidad, y pese a mis esfuerzos por mantener vivas sus piedras, Ainielle está ya muerto desde hace mucho tiempo. Lo estaba ya cuando Sabina y yo quedamos solos en el pueblo y antes, incluso, de que murieran o se fueran nuestros últimos vecinos. Durante todos estos años, no quise —o no podía— darme cuenta. Durante todos estos años, me resistí a aceptar lo que el silencio y las ruinas me mostraban claramente. Pero, ahora, sé que, con mi muerte, ya sólo morirán los últimos despojos de un cadáver que sólo sigue vivo en mi recuerdo.

Visto desde los montes, Ainielle continúa conservando, pese a todo, la imagen y el perfil que tuvo siempre: la espuma de los chopos, los huertos junto al río, la soledad de sus caminos y sus bordas y el resplandor azul de las pizarras bajo la luz del mediodía o de la nieve. Desde los robledales del camino de Berbusa o desde la collada del monte Cantalobos, las casas aparecen todavía tan lejanas, tan difusas e irreales entre el polvo de la bruma, que nadie podría nunca imaginar, al descubrirlo en la distancia, junto al río, que Ainielle ya es tan sólo un cementerio abandonado para siempre y sin remedio a su destino.

Yo he vivido día a día, sin embargo, la lenta y progresiva evolución de su ruina. He visto derrumbarse las casas una a una y he luchado inútilmente por evitar que ésta acabara antes de tiempo convirtiéndose en mi propia sepultura. Durante todos estos años, he asistido impotente a una larga y brutal agonía. Durante todos estos años, he sido el único testigo de la descomposición final de un pueblo que quizá ya estaba muerto antes incluso de que yo hubiese nacido. Y hoy, al borde de la muerte y del olvido, todavía resuena en mis oídos el grito de las piedras sepultadas bajo el musgo y el lamento infinito de las vigas y las puertas al pudrirse.

La primera en cerrarse había sido la de Casa Juan Francisco. Hace ya muchos años, cuando yo todavía apenas era un niño. De la casa recuerdo su vieja portalada, los balcones de hierro, el huerto donde, a veces, solíamos escondernos en nuestras correrías y juegos infantiles. De la familia, solamente los ojos de una hija. Recuerdo exactamente, sin embargo, el día en que marcharon: una tarde de agosto, por la senda de Broto, con los baúles y los muebles atestando el carro de las mulas. Yo estaba con mi padre en el puerto de Ainielle, cuidando las ovejas. Sentados en la hierba, les vimos pasar cerca de nosotros, entre los aliagares, y perderse en la tarde camino de Escartín. Recuerdo que mi padre permaneció en silencio largo rato. De espaldas al rebaño, miraba hacia el camino como si ya entonces supiera lo que, a partir de aquella tarde, habría de ocurrir. Yo sentí, de repente, una enorme tristeza y, tumbado en la hierba, comencé a silbar.

La marcha de los de Casa Juan Francisco fue el comienzo tan sólo de una larga e interminable despedida, el inicio de un éxodo imparable que, dentro de muy poco, mi propia muerte convertirá en definitivo. Lentamente, al principio, y, luego ya, prácticamente en desbandada, los vecinos de Ainielle —como los de tantos otros pueblos de todo el Pirineo— cargaron en sus carros las cosas que pudieron, cerraron para siempre las puertas de sus casas y se alejaron en silencio por los senderos y caminos que van a tierra baja. Parecía como si un extraño viento hubiese atravesado de repente estas montañas provocando una tormenta en cada corazón y en cada casa. Como si un día, de pronto, las gentes hubieran levantado sus cabezas de la tierra, después de tantos siglos, y hubieran descubierto la miseria en que vivían y la posibilidad de remediarla en otra parte. Nadie volvió jamás. Nadie volvió siquiera para llevarse algunas de las cosas que aquí se habían dejado. Y, así, poco a poco, igual que muchos pueblos del contorno, Ainielle fue quedándose vacío, solitario y vacío para siempre.

Hubo en aquellos años algunas despedidas que todavía recuerdo con especial tristeza; deserciones que, por inesperadas, dejaron en su día entre quienes nos quedábamos un vacío aún mayor que el habitual. Recuerdo, por ejemplo, la de Amor, arrastrada prácticamente por sus hijos hacia una tierra que ella nunca quiso ver. O la de Aurelio Sasa, el de la Casa Grande, cuando tan sólo hacía unos días que acababa de enterrar a su mujer. O la del mismo Andrés. De todas las despedidas de aquel tiempo, sin embargo, aún por encima incluso de la de mi propio hijo o de aquella última de Julio que suponía ya el final para Sabina y para mí, fue la de Adrián el Viejo la que más me impresionó.

Era el año cincuenta. Quedábamos aquí ya sólo tres vecinos: Julio, Tomás Gavín y yo. Todos desperdigados por el pueblo entre las numerosas casas cerradas o en ruinas. Todos rendidos ya a la evidencia de que Ainielle se moría. Adrián hacía ya algún tiempo que vivía conmigo y con Sabina en nuestra casa. Él no tenía ninguna. Durante más de medio siglo, había trabajado de criado en la de Lauro y, cuando éstos se marcharon, Adrián se quedó solo, como un perro sin dueño, sin casa, sin familia y sin trabajo. Sabina y yo le recogimos, más por compasión y lástima que por lo que el pobre viejo pudiera ya ayudarnos. Pero él, agradecido, igual que si de un perro se tratara, se esforzaba cada día en pagar con su trabajo el techo y la comida que le dábamos. Adrián era de Cillas, cerca de Basarán, y había llegado a Ainielle a emplearse de criado cuando apenas era un niño todavía. Desde entonces, nunca más volvió a salir de aquí. Ni siquiera en la guerra, cuando el pueblo fue evacuado. Aquel año, él se quedó aquí solo, cuidando las ovejas de su casa y a merced de los continuos bombardeos que batían estos montes, entonces estratégicos por su proximidad a la frontera y al ferrocarril de Sabiñánigo. Pero, ahora, Adrián era ya viejo, le habían abandonado como a un perro tras una vida entera de trabajo y de fidelidad a una familia y a una casa y, sin lugar alguno al que poder acudir ya ni nadie que pudiera acogerle en otra parte, era, de todos, el que sin duda más temía quedarse otra vez solo, ahora para siempre, contemplando la muerte de una aldea que ni siquiera era la suya. En realidad, él nunca me lo dijo —Adrián apenas solía hablar y, mucho menos, manifestar sus sentimientos y temores—; pero yo lo adivinaba en la melancolía interminable de sus ojos y en la cortina de silencio que la noche levantaba entre nosotros mientras el viento silbaba por las calles y los troncos agonizaban lentamente entre las llamas. Él se sentaba siempre junto al fuego, después de haber guardado las ovejas y cenado, y se quedaba allí, sin apenas dirigirnos la palabra, hasta que el sueño le rendía, a veces bien entrada ya la madrugada. Pero, a mí, no me importaba. Me había acostumbrado a su silencio y a su presencia muda y casi inmóvil en el extremo del escaño, sabía que él estaba con nosotros, acompañándonos en este último tramo de la vida que todos ya intuíamos inmensamente amargo y solitario, y suponía que eso mismo era también lo que él pensaba.

La noche en que se fue, Adrián se quedó solo en la cocina hasta muy tarde. Yo me acosté a las doce, igual que de costumbre, sin haber notado en él absolutamente nada extraño, nada que me pudiera delatar la decisión que, sin duda, hacía algún tiempo había tomado. Incluso, hablamos —recuerdo todavía— de levantarnos pronto al día siguiente para arreglar el cierre de una borda que el viento había roto aquella tarde. Pero, por la mañana, ya no estaba. Adrián se había marchardo llevándose consigo las pocas cosas que tenía en propiedad tras una larga vida de trabajo. Nunca volvimos a tener noticias suyas. Nunca llegamos a saber a dónde se había ido ni si aún estaba vivo todavía. Sólo, algún tiempo después, cuando ya prácticamente le habíamos olvidado, Gavín encontró un día su maleta, oculta entre unas zarzas, podrida por la lluvia, en el camino viejo de los contrabandistas.

Mientras Gavín y Julio siguieron en Ainielle, los tres luchamos juntos para evitar que el pueblo sucumbiera a su abandono antes de tiempo. Gavín estaba solo, sin familia, pero con Julio seguían todavía sus dos hijos y su hermano y, entre todos, limpiábamos las presas, desbrozábamos los huertos y las calles, recomponíamos los muros y las empalizadas o, incluso, en ocasiones, apuntalábamos las vigas y revocábamos las grietas de las casas que empezaban ya a mostrarse amenazadas de ruina. Fueron años difíciles, años de soledad y de desesperanza. Pero, también, y quizá por ello mismo, años que despertaron en nosotros un sentido de la solidaridad y la amistad que hasta entonces ignorábamos. Todos éramos concientes de nuestra indefensión ante la cólera del tiempo y del invierno en la montaña, nos sabíamos solos y olvidados en medio de una tierra que ya nadie transitaba y esa misma indefensión nos acercaba y nos unía más aun que la amistad y que la sangre. Los tres nos ayudábamos mutuamente en el trabajo, compartíamos los pastos que antes fueran de todos los vecinos y, por las noches, después de haber cenado, nos reuníamos todos en una misma casa para pasar la noche junto al fuego charlando y recordando.

Todos éramos concientes, sin embargo, de que aquello no era más que una ilusión, una tregua temporal y pasajera en una larga guerra de la que uno de nosotros iba a ser la víctima siguiente cualquier día. La víctima siguiente fue Gavín. Le encontramos muerto en casa una mañana, sentado en la cocina, con el último cigarro sujeto todavía entre los labios. El viejo se había muerto igual que había vivido: completamente solo, sin que nadie lo notara. Con él se terminaba la historia de una casa, quizá la más antigua, y, también, la única esperanza que Julio y yo teníamos de no quedarnos solos en Ainielle cualquier día.

Julio se fue al final de aquel mismo verano, sin recoger casi sus cosas, como si temiera que yo pudiera adelantarme. Ni siquiera me lo dijo hasta el último momento, la víspera de la partida, cuando ya estaban cargando los muebles en el carro. Recuerdo que esa noche, había una calma extraña por las calles. Sabina y yo cenamos en silencio, sin mirarnos, y luego yo marché a esconderme en el molino. Fue una noche muy triste, la más triste quizá de cuantas noches he vivido. Durante varias horas, permanecí sentado en un rincón, envuelto en la penumbra, sin conseguir dormirme ni olvidar la última mirada de Julio al despedirse. A través de la ventana, podía ver el portalón hundido y devorado por el musgo del molino y los reflejos temblorosos de los chopos sobre el río: inmóviles, solemnes, como columnas amarillas bajo la luz mortal y helada de la luna. Todo estaba en silencio, envuelto en una paz tan densa e indestructible que acentuaba más aún la desazón que yo sentía. A los lejos, sobre la línea de los montes, los tejados de Ainielle flotaban en la noche como las sombras de los chopos sobre el agua. Pero, de pronto, hacia las dos o las tres de la mañana, un viento suave se abrió paso por el río y la ventana y el tejado del molino se llenaron de repente de una lluvia compacta y amarilla. Eran las hojas muertas de los chopos, que caían, la lenta y mansa lluvia del otoño que de nuevo regresaba a las montañas para cubrir los campos de oro viejo y los caminos y los pueblos de una dulce y brutal melancolía. Aquella lluvia duró sólo unos minutos. Los suficientes, sin embargo, para teñir la noche entera de amarillo y para que, al amanecer, cuando la luz del sol volvió a incendiar las hojas muertas y mis ojos, yo hubiese ya entendido que aquella era la lluvia que oxidaba y destruía lentamente, otoño tras otoño y día a día, la cal de las paredes y los viejos calendarios, los bordes de las cartas y de las fotografías, la maquinaria abandonada del molino y de mi corazón.

A partir de aquella noche, el óxido fue ya mi única memoria y el único paisaje de mi vida. Durante cinco o seis semanas, las hojas de los chopos borraron los caminos y cegaron las presas y entraron en mi alma como en las habitaciones vacías de las casas. Luego, ocurrió lo de Sabina. Y, como si el propio pueblo fuera ya una simple creación de mi mirada, la herrumbre y el olvido cayeron sobre él con todo su poder y toda su crueldad. Todos, incluso mi mujer, me habían abandonado, Ainielle se moría sin que yo pudiera ya tratar siquiera de evitarlo y, en medio del silencio, como dos sombras extrañas, la perra y yo seguíamos mirándonos, pese a saber que ninguno de los dos tenía la respuesta que buscábamos.

Lentamente, sin que apenas pudiera darme cuenta, la herrumbre comenzó su avance indestructible. Poco a poco, las calles se llenaron de zarzas y de ortigas, las fuentes desbordaron sus cauces primitivos, las bordas sucumbieron bajo el peso del silencio y de la nieve y las primeras grietas empezaron a asomar en las paredes y en los techos de las casas más antiguas. Yo nada podía hacer por evitarlo. Sin la ayuda de Julio y de Gavín —y, sobre todo, sin el rescoldo de esperanza que, entonces, todavía mantenía—, yo estaba ya a merced de lo que el óxido y la hiedra quisieran depararme. Y, así, en apenas unos años, Ainielle fue quedando convertido en el terrible y desolado cementerio que ahora, todavía, puedo ver a través de la ventana.

Salvo la de Gavín, que un rayo atravesó de arriba abajo cuando aún prácticamente estaba intacta, el proceso de destrucción siempre era el mismo, e igual de irreparable, en cada casa. El moho y la humedad roían en silencio, primero, las paredes, más tarde, los tejados, y, luego ya, como si de una lenta lepra se tratara, el esqueleto descarnado de las vigas en que aquéllos se apoyaban. Después, aparecían los líquenes silvestres, las negras garras muertas del musgo y la carcoma, y, al fin, cuando la casa entera estaba ya podrida hasta sus últimas sustancias, el viento o una nevada acababan arrumbándola. Yo escuchaba en la noche el crujido del óxido, la oscura podredumbre del moho en las paredes, sabiendo que, muy pronto, sus brazos invisibles alcanzarían también mi propia casa. Y, a veces, cuando la lluvia y la ventisca arreciaban detrás de los cristales y el río retumbaba como un trueno en la distancia, de repente, me despertaba en medio de la noche el estruendo brutal de una pared al desplomarse.

La primera en hundirse fue la cuadra de Casa Juan Francisco. Llevaba tanto tiempo abandonada, hacía tantos años de aquella tarde de verano en que mi padre y yo contemplamos la partida, entre los aliagares del camino de Escartín, del carro con las mulas que hasta entonces la habían habitado, que no pudo resistir su abandono por más tiempo y se desplomó de pronto, una noche de enero, en medio de la nieve, como un animal muerto de un disparo. El resto de la casa se derrumbó al año siguiente, al poco tiempo de morir Sabina, arrastrando consigo en su caída la cuadra y la leñera de Santiago. Hubieron de pasar más de tres años hasta que la del propio Lauro confirmara la catástrofe. Pero, luego, poco a poco, casi en el mismo orden en que habían sido abandonadas, fueron hundiéndose una a una la de Acín, la de Goro, la de Chano, y, así, prácticamente, la mayoría de las casas.

Cuando atacó a la mía, yo hacía ya algún tiempo que sabía que la muerte me estaba rodeando. Estaba en las paredes de la iglesia y en el huerto, en el tejado de Bescós y en las ortigas de la calle. Pero, hasta que una grieta abierta en la ventana de la cuadra me avisó de que las vigas del pajar empezaban a ceder, no llegué realmente a sospechar que la herrumbre y la muerte habían penetrado en esta casa. Cuando lo descubrí, me quedé desconcertado, confuso, sorprendido, incapaz de comprender que pudiera derrumbarse antes, incluso, de que yo la abandonase. Durante algunos meses, conseguí detener el avance de la grieta apuntalando la ventana con maderos y con vigas traídas de otras casas. Pero, en seguida, la grieta se abrió por otro lado, más ancha y más profunda todavía, cuarteando la pared de arriba abajo y haciendo inútil ya cualquier intento de evitar lo irremediable. Un día de diciembre, hará ahora cuatro años, el pajar se vino abajo. La podredumbre había minado por completo la estructura del tejado y el agua y la ventisca habían terminado de arrumbarlo. Saqué las pocas cosas que allí había —la leña, los aperos, las arcas donde un día se guardaran la harina y el forraje del ganado— y las amontoné por las habitaciones de la casa dispuesto a librar ya, atrincherado entre sus muros, la que, sin duda, había de ser mi última batalla.

Desde entonces a hoy, la muerte ha ido avanzando tenaz y lentamente por los cimientos y las vigas interiores de la casa. Sin vértigo. Sin prisa. Sin compasión ninguna. En sólo cuatro años, la hiedra ha sepultado el horno y la panera y la carcoma ha corroído por completo las vigas del portal y el cobertizo. En sólo cuatro años, la hiedra y la carcoma han destruido el trabajo de toda una familia y todo un siglo. Y ahora las dos avanzan juntas, por las maderas ya podridas del viejo corredor y del tejado, en busca de esas últimas sustancias que aún sostienen el peso y la memoria de la casa. Esas sustancias viejas, cansadas, amarillas —como la lluvia en el molino aquella noche, como mi corazón ahora y mi memoria—, que, un día, tal vez muy pronto ya, se pudrirán también del todo y se desmoronarán, al fin, en medio de la nieve, quizá conmigo dentro todavía de la casa.

10

Conmigo dentro todavía de la casa —y con la perra en el portal aullando tristemente—, la muerte ya ha venido a visitarme, de hecho, muchas veces. Vino cuando mi hija volvió una noche por sorpresa para ocupar la habitación que, desde el mismo día de su muerte, había permanecido cerrada con candado. Vino cuando Sabina resucitó una Nochevieja en aquel viejo retrato que las llamas consumieron lentamente y cuando estuvo aquí, velando mi agonía, mientras yo me consumía, devorado por la fiebre y la locura, entre estas sábanas. Y vino, para quedarse ya conmigo para siempre, la noche en que mi madre apareció de pronto en la cocina, después de tantos años enterrada.

Hasta esa noche, yo dudaba todavía de mis ojos y de las propias sombras y silencios de la casa. Pese a la claridad de lo vivido, hasta entonces yo creía todavía —o, al menos, lo intentaba— que la fiebre y el miedo habían provocado y dado forma a unas imágenes que sólo existían ya como recuerdos. Pero, esa noche, la realidad se impuso, brutal e incontestable, a cualquier duda. Esa noche, cuando mi madre abrió la puerta y apareció de pronto en mitad de la cocina, yo estaba allí, sentado junto al fuego, frente a ella, despierto y desvelado igual que ahora, y, al verla, ni siquiera sentí miedo.

Pese a los años transcurridos, apenas me costó reconocerla. Mi madre seguía igual a como yo la recordaba, exactamente igual que cuando aún estaba viva y deambulaba día y noche por la casa atendiendo al ganado y a toda la familia. Llevaba todavía aquel vestido que Sabina y mi hermana le pusieron después de que muriera y aquel pañuelo negro que nunca se quitaba. Y, ahora, sentada en el escaño, junto al fuego, inmóvil y en silencio, igual que siempre, parecía haber venido a demostrarme que era el tiempo, y no ella, el que realmente estaba muerto.

Durante toda la noche, la perra estuvo aullando en el portal, despierta y asustada, como cuando en Ainielle los vecinos aún velaban a sus muertos o como cuando los contrabandistas o los lobos se acercaban hasta el pueblo. Durante toda la noche, mi madre y yo permanecimos en silencio contemplando cómo el fuego consumía las aliagas y, con ellas, los recuerdos. Después de tantos años, después de tanto tiempo separados por la muerte, los dos estábamos de nuevo frente a frente, sin atrevernos, pese a ello, a reanudar una conversación interrumpida bruscamente hacía mucho tiempo. Yo ni siquiera me atrevía a mirarla. Sabía que seguía en la cocina por los ladridos asustados de la perra y por la extraña sombra inmóvil que las llamas proyectaban bajo el suelo del escaño. Pero, en ningún momento, sentí miedo. Ni un solo instante dejé que me invadiera la sospecha de que mi madre había venido para velar mi propia muerte. Sólo al amanecer, cuando una tibia luz me despertó de pronto sentado todavía junto al fuego y comprobé que ella no estaba ya conmigo en la cocina, un negro escalofrío me recorrió por vez primera al recordarme el calendario que aquella que se iba tras los árboles era la última noche de febrero. La misma, exactamente, en que mi madre se había muerto hacía ya cuarenta años.

A partir de aquel día, mi madre volvió a hacerme compañía muchas veces. Llegaba siempre hacia la medianoche, cuando el sueño comenzaba ya a rendirme y los troncos a extinguirse entre las brasas de la hoguera. Aparecía siempre en la cocina por sorpresa, sin ruido, sin pisadas, sin que las puertas del pasillo y de la calle anunciasen previamente su llegada. Pero, antes de que entrara en la cocina, antes aún de que su sombra apareciera en la calleja, yo sabía ya que mi madre se acercaba por los ladridos asustados de la perra. Y, a veces, cuando la soledad era más fuerte que la noche, cuando el cansancio y la locura desbordaban los recuerdos, corría hacia la cama y me tapaba con las mantas, como un niño, para no tener que compartirlos con los de ella.

Una noche, sin embargo, hacia las dos o las tres de la mañana, un extraño murmullo me despertó en la cama de repente. Era una noche fría, de finales de otoño, y la lluvia amarilla cegaba, como ahora, la ventana. Al principio, pensé que aquel murmullo llegaba desde fuera de la casa, que era el ruido del viento al arrastrar las hojas muertas por la calle. Pero, en seguida, me di cuenta de que estaba equivocado. Aquel murmullo extraño no llegaba de la calle. Aquel murmullo extraño llegaba de algún sitio de la casa y era un ruido de voces, de palabras cercanas, como si, en la cocina, hubiera alguien hablando con mi madre.

Inmóvil en la cama, permanecí escuchando largo rato antes de decidirme a levantarme. La perra había dejado de ladrar y su silencio me alarmaba más aún que aquel extraño eco de palabras. Más, incluso, que la lluvia de hojas muertas que teñía por completo de amarillo la ventana. Cuando salí al pasillo, el murmullo se detuvo de repente, como si, en la cocina, también a mí me hubieran escuchado. Pero yo ya había cogido ese cuchillo que, desde el día de la muerte de Sabina, llevo siempre en la chaqueta y bajé las escaleras decidido a saber quién estaba en la cocina con mi madre. No lo necesité. Ni siquiera me hubiera servido para nada. Con mi madre, en la cocina, sólo había sombras muertas, sombras negras, silenciosas, sentadas en corrillo en torno al fuego, que se volvieron al unísono a mirarme cuando, de pronto, abrí la puerta a sus espaldas, y en las que apenas me costó reconocer los rostros de Sabina y de todos los muertos de la casa.

Salí a la calle sin detenerme siquiera para cerrar la puerta tras mis pasos. Recuerdo que, al salir, un viento frío me golpeó la cara. La calle entera estaba llena de hojas muertas y el viento las llevaba en remolinos por los huertos y los patios de las casas. Junto a la de Bescós, me detuve a tomar aire. Todo había sucedido tan deprisa, tan confusa y bruscamente, que todavía no me hallaba muy seguro de no estar viviendo un sueño: aún sentía en la piel el calor de las sábanas, el viento me cegaba y me empujaba hacia los lados y, sobre los tejados y las tapias de las casas, el cielo era amarillo como en las pesadillas. Pero no. Aquello no era un sueño. Aquello que había visto y oído en la cocina de mi casa era tan cierto como que yo me hallaba ahora en medio de la calle, inmóvil y asustado, oyendo nuevamente extrañas voces a mi espalda.

Durante unos segundos, me quedé paralizado. Durante unos segundos —un tiempo interminable que el viento subrayó azotando con violencia las ventanas y las puertas de las casas—, pensé que el corazón iba a estallarme. Acababa de salir huyendo de la mía, acababa de dejar detrás de mí el frío y la mirada de la muerte y, ahora, sin saber cómo, volvía a encontrarme con la muerte cara a cara. Estaba en la cocina de Bescós, sentada en el escaño, velando junto a un fuego inexistente la memoria de una casa que ya nadie recordaba, justo detrás de la ventana en la que, sin saberlo, yo acababa de apoyarme.

Aterrado, eché a correr por el medio de la calle sin saber tan siquiera a dónde iba. Un sudor frío me recorría todo el cuerpo y las hojas y el viento me cegaban. De repente, todo el pueblo parecía haberse puesto en movimiento: las paredes se apartaban, silenciosas, a mi paso, los tejados flotaban en el aire como sombras desgajadas de sus cuerpos y, sobre el vértice infinito de la noche, el cielo se había vuelto amarillo por completo. Pasé sin detenerme ante la iglesia. Ni siquiera pensé por un instante en refugiarme dentro de ella. La espadaña se inclinaba, amenazante, ante mis ojos y las campanas volvían a sonar como si aún siguieran vivas bajo tierra. En la calleja de Gavín, por el contrario, la fuente parecía haberse muerto de repente. El caño había dejado de manar y, entre las negras sombras de las ovas y los berros, el agua era amarilla igual que el cielo. Corrí hacia Casa Lauro abriéndome camino contra el viento. Las ortigas me arañaban y las zarzas se enredaban en mis piernas como si también ellas quisieran detenerme. Pero llegué. Exhaústo. Jadeante. A punto de caerme varias veces. Y cuando al fin estuve en campo abierto, lejos ya de las casas y de las tapias de los huertos, me paré a contemplar lo que, a mi alrededor, estaba sucediendo: el cielo y los tejados ardían confundidos en una misma luz incandescente, el viento golpeaba las ventanas y las puertas de las casas y, en medio de la noche, entre el aullido interminable de las hojas y las puertas, un lamento infinito recorría todo el pueblo. No me hizo falta volver sobre mis pasos para saber que todas las cocinas estaban habitadas por sus muertos.

Durante toda aquella noche, vagué por los caminos sin atreverme a regresar junto a los míos. Durante más de cinco horas, esperé el amanecer temiendo que, tal vez, jamás fuera a llegar. El miedo me arrastraba por los montes sin rumbo y sin sentido y los espinos se agarraban a mis ropas minando poco a poco mi ánimo y mis fuerzas. Pero yo no los sentía. Cegado por el viento, apenas podía verlos y la locura me empujaba más allá de la noche y de la desesperación. Y, así, cuando por fin llegó el amanecer, yo estaba ya lejos del pueblo, en lo alto del Erata, junto al abrevadero abandonado del rebaño que, desde hacía varios años, no había vuelto a ver.

Aún esperé, no obstante, sentado entre unas zarzas, a que saliera el sol. Sabía que en el pueblo ya nadie me esperaba —mi madre se iba siempre con el amanecer—, pero estaba tan cansado que apenas podía ya tenerme en pie. Poco a poco, sin embargo, me fui recuperando —quizá llegué a dormir, incluso, un rato— y, cuando el sol logró por fin romper las negras nubes del Erata, me puse en marcha nuevamente dispuesto a regresar. Monte abajo y a plena luz del día, no tardé en desandar lo andado aquella noche. El viento había cesado y una calma profunda se extendía mansamente por los montes. Abajo, en el hondón del río, los tejados de Ainielle flotaban en la niebla con la misma dulzura de cualquier amanecer. Cerca ya de las casas, la perra se me unió. Apareció, de pronto, al borde del camino, entre unos matorrales, temblando todavía por el miedo y la emoción. La pobre había pasado la noche allí escondida y, ahora, al encontrarme, me miraba en silencio tratando de entender. Pero yo no le podía decir nada. Aunque entendiera mis palabras, no podía explicarle algo que ni yo mismo lograba comprender. Quizá todo, en realidad, no había sido más que un sueño, una turbia y torturada pesadilla nacida del insomnio y de la soledad. O, quizá, no. Quizá lo que había visto y oído aquella noche lo había visto y oído realmente —igual que ahora veía las tapias de los huertos y oía en torno a mí los gritos de los pájaros— y aquellas sombras negras seguían esperando mi regreso en la cocina. La compañía de la perra me dio fuerzas, sin embargo, para adentrarme entre las casas y acercarme lentamente hacia la mía. La puerta de la calle seguía abierta, igual que había quedado, y un profundo silencio brotaba como siempre del fondo del pasillo. No lo dudé un segundo. Ni siquiera me detuve a recordar lo que, en la noche —y en otras muchas noches anteriores—, creía haber vivido. Atravesé el portal y entré en casa convencido de que todo era mentira, de que dentro no había nadie esperando en la cocina y que todo lo ocurrido aquella noche no había sido en realidad sino el fruto torturado del insomnio y la locura. En efecto, no había nadie en la cocina. El escaño estaba solo, igual que siempre, y la ventana proyectaba sobre él la primera luz del día. Pero, en la chimenea, inexplicablemente, el fuego que yo mismo había apagado al acostarme seguía ardiendo todavía envuelto en un extraño y misterioso resplandor.

Pasaron varios meses sin que nada parecido volviera a suceder. Yo esperé cada noche sentado en la cocina, atento a cualquier ruido, temiendo que la puerta volviera a abrirse sola y mi madre apareciera de nuevo frente a mí. Pero pasó el invierno sin que nada ocurriera, sin que nada turbara la paz de la cocina y de mi corazón. Y, así, cuando llegó la primavera, cuando las nieves comenzaron a fundirse y los días a alargarse dentro de él, yo estaba ya seguro de que nunca volvería porque nunca había existido más que en mi imaginación.

Pero volvió. De noche y por sorpresa. En medio de la lluvia. Recuerdo que noviembre terminaba y que, tras los cristales de la calle, el aire era amarillo. Se sentó en el escaño y se quedó mirándome en silencio, igual que el primer día.

Desde entonces a hoy, mi madre ha regresado muchas noches. A veces, con Sabina. A veces, rodeada de toda la familia. Durante mucho tiempo, me escondí, para no verles, en cualquier lugar del pueblo o vagué durante horas por los montes sin rumbo ni sentido. Durante mucho tiempo, me resistí a aceptar su compañía. Pero siguieron acudiendo, cada vez más a menudo, y, al final, no tuve otro remedio que resignarme a compartir con ellos mis recuerdos y el calor de la cocina. Y ahora que la muerte ronda ya la puerta de este cuarto y el aire va tiñendo poco a poco mis ojos de amarillo, incluso me consuela pensar que están ahí, sentados junto al fuego, esperando el momento en que mi sombra se reúna para siempre con las suyas.

11

Siempre lo he imaginado así. De repente, la niebla inundará mis venas, mi sangre se helará como las fuentes de los puertos en enero y, cuando todo haya acabado, mi propia sombra me abandonará y bajará a ocupar mi sitio junto a la chimenea. Quizá eso sea la muerte, simplemente.

Siempre la he imaginado así. Incluso cuando aún la creía todavía muy lejana. Pero ahora que la muerte ya se acerca, ahora que el tiempo acaba y la niebla envuelve ya los barrotes de la cama y mis recuerdos, cierro otra vez los ojos, pienso en aquellos días y, de pronto, me asalta la sospecha de si mi sombra no estará ya desde entonces sentada junto al fuego con las de ellos.

No es la primera vez que tengo esta sospecha. En realidad, es una sensación que nunca me ha dejado desde la noche misma en que mi madre apareció por vez primera. La sensación oscura e impenetrable de que, quizá, también yo estaba muerto y de que todo lo vivido desde entonces no ha sido sino el eco final de la memoria al deshacerse en el silencio.

Desde la noche en que mi madre apareció por vez primera, nunca he vuelto, de hecho, a mirarme en un espejo. El que colgaba de una viga en el portal —aquel pequeño espejo ante el que, de tarde en tarde, podía ver, al afeitarme, el avance implacable por mi rostro de la decrepitud y de la muerte— lo rompió contra el suelo aquella misma noche una ráfaga de viento y los que, a veces, he encontrado abandonados por el pueblo estaban rotos ya o borrados por el óxido del tiempo. Cierto que alguno todavía habría podido devolverme mi mirada con tan sólo despojarle de su capa de silencio. Pero nunca tuve el coraje suficiente para limpiar uno de ellos y enfrentarme cara a cara a la verdad. Siempre, en el último instante, me faltó el valor necesario para asomarme a la boca del abismo que, sin duda, me esperaba al otro lado del espejo.

Desde la noche en que mi madre apareció por vez primera, tampoco nunca volví a salir de Ainielle. La verdad es que, antes, solía hacerlo pocas veces: una en abril, para comprar en casa de Pallárs comida y munición a cambio de las pieles, y acaso otro par de ellas en septiembre, hasta Broto o Sabiñánigo, para vender en el mercado algún saco de fruta de la mucha que ahora se pudría en los árboles de Ainielle. Pero, en seguida, regresaba. No me gustaba dejar el pueblo solo mucho tiempo. Temía que, en mi ausencia, volviera a repetirse lo que un día ya ocurriera mientras yo estaba en el monte con la perra.

Fue una tarde de agosto, hace ya cinco años, y, aunque desde aquel día, han sucedido muchas cosas en mi vida —entre otras, quizá, mi propia muerte—, lo ocurrido aquella tarde sigue aún vivo e inalterable en mi recuerdo. Recuerdo, por ejemplo, la brisa de Motechar, el aroma del tojo y de los tomillares entre los que el día anterior había escondido los lazos y los cepos. Recuerdo aquellas nubes que subían lentamente desde Espierre y aquel resplandor negro que me obligó hacia el mediodía a regresar a Ainielle antes de tiempo. Fue como si el propio cielo me avisara de lo que aquí estaba ocurriendo, como si aquel resplandor negro me empujara sin saberlo hacia el corazón mismo de la luz y la tormenta. Tardé, no obstante, en avistar el pueblo. La lluvia me cegaba y la brisa se enredaba en remolinos a mis ropas, agitada y violenta de repente. Pero, todavía lejos, desde el camino viejo de las bordas de Motechar, descubrí ya el caballo atado ante el portal de Casa Aurelio. Mi primera impresión fue simplemente de sorpresa. Era la primera visita que tenía en mucho tiempo; la primera ocasión, desde el entierro de Sabina, en que alguien se atrevía a penetrar en los dominios del olvido y de la muerte. Lentamente, abriéndome camino contra el viento, me adentré entre las casas decidido a saber quién estaba y qué hacía en la de Aurelio. No tardé mucho en saberlo. Me bastó con llegar junto al caballo —la perra quedó atrás, cubriéndome la espalda, sin ladrar— para entender a lo que el dueño, quien quiera que éste fuera, había venido a Ainielle: varios muebles se apoyaban a ambos lados de la puerta y, en medio de la calle, un montón de herramientas esperaba ser guardado en algún saco. Mi primera intención fue ir a buscarle; pero, luego, pensé que era mejor esperar en el portal, con la escopeta preparada, a que él saliera. Cuando me vio, Aurelio se quedó paralizado. Hizo un gesto impreciso con la mano, como si fuera a saludarme —después de tantos años—, pero mi frialdad le hizo entender que no obtendría respuesta por mi parte. Durante unos segundos, los dos permanecimos frente a frente, sin hablarnos. Quizá, en esos instantes, Aurelio recordaba aquella madrugada en que los dos nos despedimos para siempre —a la mañana siguiente, él se marchaba— en el mismo lugar en que ahora estábamos. Pero yo ya no podía recordarlo. Había transcurrido tanto tiempo desde entonces, había acumulado tanto olvido en mi mirada que ya apenas podía ver las huellas que, en su rostro, el paso de los años había ido dejando. Por eso, me eché a un lado y le apunté sin dejar un solo instante de mirarle. Por eso, le obligué a que se marchara sin cruzar una palabra ni dejarle llevar nada. Y cuando al fin se hubo perdido tirando del caballo entre los árboles, disparé contra la lluvia para hacerle comprender que jamás debía volver, porque éstos ya no eran ni su casa ni su pueblo.

Las herramientas y los muebles se pudrieron en la calle sin que, en efecto, nunca Aurelio ni sus hijos volvieran a buscarlos. Al parecer, al llegar a Berbusa, Aurelio había contado que yo había estado a punto de matarle y, desde entonces, ni siquiera los pastores se atrevieron, como antes, a cruzar con sus rebaños los límites del valle. Yo apenas volví ya tampoco a abandonarlos. Pero, cuando lo hice —alguna vez que fui a comprar comida hasta algún pueblo cercano—, noté que la sorpresa que mis ocasionales visitas provocaban se había convertido de repente en miedo y desconfianza. Ya nadie me miraba, igual que antes, como a un viejo abandonado y solitario. Me miraban como a un loco y como a un loco me trataban, escondiéndose a mi paso detrás de las ventanas. Pero a mí no me importaba demasiado. Ni siquiera me volvía a demostrarles que sentía sus miradas en mi espalda. Me había acostumbrado a vivir solo y, en el fondo, prefería su silencio a sus palabras.

Su silencio se volvió definitivo y sus palabras se acallaron para siempre días antes tan sólo del regreso de mi madre. Fue al invierno siguiente de ocurrir lo de Aurelio, aquel primer invierno que tuve que afrontar fiado únicamente en mi capacidad de resistencia y a la suerte. La verdad es que ya no tenía otro remedio. El verano anterior, la soledad había calado hasta el fondo de mis huesos y, al comenzar septiembre, me sentí ya sin fuerzas para bajar a Biescas a comprar, como todos los años por esas mismas fechas, la comida y las cosas necesarias para poder pasar sin demasiados sobresaltos los largos meses de la nieve.

El otoño transcurrió extrañamente plácido y sereno. El viento del Erata tardó en aparecer y las lluvias retrasaron su llegada hasta los Santos. Tuve tiempo, en octubre, de recoger sin prisas la fruta y las patatas y de cortar la leña que podría precisar hasta el verano. Y, como, por otra parte, guardaba todavía algunas provisiones del invierno anterior en la despensa y la caza acudía dócilmente al reclamo de mis lazos y mis cepos, pensé que aguantaría sin problemas hasta la primavera.

Pero llegó diciembre y, con él, la primera gran nevada del invierno. Fue una de las mayores nevadas que recuerdo. Durante casi una semana, estuvo racheando día y noche sobre Ainielle y, aunque al final no llegó a ser como aquella gran nevada de mi infancia que obligaba a la gente a salir por las ventanas de las casas y a los perros a ladrar desde los corredores y tejados de las cuadras, sí fue al menos lo suficientemente intensa como para enterrarme vivo en casa un mes entero. Lo peor fue que también había enterrado los lazos y los cepos y que, a partir de entonces, me vi obligado ya a subsistir únicamente con lo poco que aún guardaba en la despensa.

Primero, se acabaron la harina y el tocino, luego, la carne seca y, hacia la Nochebuena, las últimas judías y el aceite. Recuerdo que, aquel día, hice una enorme pota con todo lo que había en la despensa. Aunque nadie vendría a acompañarme, quería celebrar aquella noche con una buena cena. Luego, empezó la lucha por la supervivencia. Durante muchos días, me mantuve únicamente a base de patatas y de nueces (el resto de la fruta se había ido pudriendo en los arcones —la humedad de la despensa cada vez era más fuerte— y la que había quedado olvidada por los huertos estaba ya enterrada, igual que yo, bajo un metro de nieve). Así aguanté lo que quedaba de diciembre y todo enero. Cocía las patatas en la olla o las asaba entre las brasas, las sacaba a enfriar a la ventana del portal, al soplo de la nieve, y, luego, como antaño con Sabina, me sentaba en la cocina a compartirlas con la perra. No tenía otra cosa que ofrecerle.

Pero las patatas comenzaron también a escasear y la nieve seguía inmóvil, helada, indestructible, tras la puerta, como si nunca más hubiera de volver a deshacerse. Los días transcurrían silenciosos y vacíos, siempre iguales, y, a medida que pasaban, la esperanza de poder volver al monte se iba haciendo cada vez más lejana y más incierta. De momento, mientras la nieve persistiera, no me habría servido para nada. El temporal, sin duda, habría empujado las liebres hacia el valle y el jabalí estaría ahora agazapado en su guarida, igual que yo, esperando el momento de poder reanudar sus correrías por el monte. Hacia final de enero, volvió a caer otra nevada —antes de que la otra hubiera podido aún empezar a quebrantarse— y la esperanza dejó paso bruscamente a un profundo sentimiento de amenaza y de impotencia. Era una sensación nueva y, al principio, inconfesable, una sospecha oscura, entonces todavía muy lejana, que crecía poco a poco con la nieve y, con ella, se espesaba. A lo largo de mi vida, había conocido ciertamente situaciones muy difíciles, algunas aún más duras —como la muerte de Sabina o la primera noche que pasé completamente solo en esta casa— que la que ahora soportaba. Pero nunca, hasta entonces, había imaginado que alguna vez tendría que enfrentarme cara a cara con el hambre.

En los primeros días de febrero, la situación se me hizo ya completamente insoportable. La amenaza del hambre me había ido obligando a racionar cada vez más las últimas reservas de comida y hacer algo que, hasta entonces, ni siquiera podría haber imaginado: registrar de arriba abajo todo el pueblo, sobre todo aquellas casas que llevaban menos tiempo abandonadas, buscando alguna cosa que pudiera prolongarlas. Como cabía esperar, apenas hallé nada: algún resto de harina corrompida en los arcones, varias latas de conserva ya oxidadas y, obviamente, incomestibles y, en casa de Gavín, el primer día, una saca de judías arrugadas y resecas —su dueño se había muerto hacía más de cinco años— que le fui dando a la perra cocidas con las mondas de patata. En el fondo, era ella la que más me preocupaba. Yo sabía, al fin y al cabo, que podía resistir otras dos o tres semanas —la rabia y el orgullo me ayudaban—, pero ella no podía comprenderlo y gemía día y noche, tirada en el portal, como en los meses que siguieron a la muerte de Sabina.

No era casual la extraña semejanza con el comportamiento que la perra tenía aquellos días. Detrás de la ventana, la nieve era la misma, el silencio invadía igual que entonces los últimos rincones de la casa y, al lado de la lumbre, en la cocina, mi apatía y mi mutismo también, seguramente, eran iguales. No es que lo piense ahora. Lo pensaba también aquella tarde, camino de Berbusa, mientras, con gran dificultad, me abría paso entre la nieve, lo mismo que aquel día en que bajé a llamar a los vecinos para que me acompañaran a velar aquella noche el cuerpo de Sabina y a darle al día siguiente sepultura. Ahora, al cabo de los años, también bajaba allí para pedir ayuda. Necesitaba que me dieran un poco de comida. Durante mucho tiempo, había ido aplazando aquel momento, pero, al final, la nieve y la mirada de la perra habían podido más que mi capacidad de resistencia y que mi orgullo.

Los perros de Berbusa salieron a mi encuentro hasta el camino y ya no me dejaron, mientras permanecí en el pueblo, ni un segundo. Asustados y hoscos, me ladraban de cerca, mostrándome sus fieras dentaduras, como si yo fuera un ladrón o un vagabundo. Pero la algarabía de los perros no pareció alertar a los vecinos. Al menos, no se abrió ninguna puerta ni nadie se asomó para saber lo que ocurría. Parecía como si el pueblo entero estuviera ya también totalmente vacío. Como si, al igual que en tantos otros pueblos del contorno, sus vecinos también se hubieran ido y los perros fueran ya los únicos que allí permanecían defendiendo las casas y los bienes de unos dueños que ni siquiera se habían preocupado de pegarles un tiro antes de irse. Pero yo sabía muy bien que aquello era mentira. Sabía que, en Berbusa, quedaban todavía seis familias y que, ahora, muchos ojos me estaban espiando, escondidos detrás de las ventanas de las casas.

Durante largo rato, deambulé como si fuera un perro más por las calles solitarias y vacías. Al contrario que aquí arriba, la nieve allí ya empezaba a derretirse y, en el umbral de los portales, las huellas de los perros se mezclaban con otras de personas que, aparentemente, no existían. Aparentemente sólo. Desde la calle, podía oír sus pisadas sigilosas al final de los pasillos, escuchar sus palabras en voz baja detrás de algún visillo e intuir, en la prolongación de su silencio, la inquietud que mi presencia al lado de sus casas les causaba. Seguramente, todos estaban recordando el día en que Sabina decidió poner fin a su vida y preguntándose el motivo que, ahora, nuevamente, al cabo de los años, me empujaba a bajar abriéndome camino entre la nieve hasta Berbusa. Quizá alguno, incluso, al verme con la soga a la cintura, pensó por un instante que yo había hecho lo mismo que Sabina y que lo que ahora veían era sólo la sombra de mi alma que bajaba a pedirles (como seguramente hará esta noche) que vinieran a Ainielle a darme sepultura. Pero yo sé muy bien que, entonces, todavía estaba vivo. Aunque la soledad ya había empezado a confundir, igual que un sueño lento, mis sentidos, todavía tenía conciencia de mí mismo y, en medio de las calles, sentía sus miradas y el cerco de silencio que los perros habían ido poco a poco tendiendo en torno mío. También a ellos les turbaba aquel mutismo. Habían recorrido todo el pueblo siguiéndome los pasos; durante todo el tiempo, habían intentado inútilmente alertar a los vecinos y, ahora, junto a la última casa, al borde nuevamente del camino, me miraban extrañados, sin entender por qué sus dueños no acudían, lo mismo que otras veces, al fragor de sus ladridos. Yo hacía ya tiempo, sin embargo, que lo había comprendido. Después de haber cruzado la barrera de amenazas que ellos mismos me oponían, después de atravesar de extremo a extremo todo el pueblo y de llamar a varias puertas sin obtener respuesta alguna, yo sabía ya que me podía ir cuando quisiera porque nadie en Berbusa me abriría.

Fue la última vez que me rebajé a intentar pedir ayuda,

la última ocasión en que alguien pudo verme más allá de las fronteras que el orgullo y la memoria claramente me imponían. Por el rastro que en la nieve, al bajar, había dejado, regresé a la única casa cuya puerta seguía abierta para mí. Recuerdo que, al llegar, ya era de noche. El cielo estaba helado y el reflejo de la nieve lo inundaba de una extraña claridad. Hasta la madrugada estuve contemplándolo, sentado con la perra en el escaño del portal.

12

Ése fue mi lugar el resto de los días de mi vida. Desde allí, les he visto pasar, como las nubes por mis ojos, uno a uno.

Desde allí, desde el lugar en que mi padre contempló también un día el paso inexorable de los suyos, he asistido, ya impasible, a la descomposición final del pueblo y de mi cuerpo y he esperado sin pena ni impaciencia la llegada de esta noche. Sólo la perra ha seguido conmigo hasta el final. Sólo la perra y ese río silencioso, melancólico, solitario y olvidado igual que yo, que lleva en su corriente la corriente de mi vida y que es el único que me sobrevivirá.

Hasta su orilla he ido muchas veces estos años, buscando compañía, cuando la soledad era tan fuerte que ni siquiera los recuerdos podían sustraerme a su obsesión. Ya lo había hecho algunas veces antes, en aquel tiempo en que la gente comenzó a marchar de Ainielle y yo bajaba por las noches a esconderme en el molino para no verme obligado, en la mañana, a despedirles. Entonces, el río me prestaba su silencio y su poder de ocultación, la clandestinidad lejana de unas sombras que conocía y frecuentaba desde niño. Pero, ahora, no era la soledad lo que, en él, iba buscando. Ahora, la soledad estaba en todas partes, impregnaba las casas y el aire en torno a mí, y sólo junto al río, entre los avellanos y los chopos de la orilla, hallaba ya consuelo a tanta paz.

Nunca logré entender muy bien por qué. Quizá era el murmullo de las hojas sobre el agua. Quizá las propias sombras de los troncos que, al juntarse, confundían mi memoria y mi mirada. Pero la compañía de los chopos me calmaba. Como en los robledales del Erata o en el pinar de Basarán, entre los árboles del río tenía siempre la impresión de no estar solo, de que había entre las sombras alguien más. Y esa misma sospecha que, de niño, me turbaba y que, luego, fui olvidando con la edad, ahora regresaba nuevamente para ayudarme a soportar la soledad de Ainielle y el paso inexorable de los días por sus calles.

Entre los árboles del río, sin embargo, la impresión de no estar solo no era sólo una sospecha, como en los bosques del Erata o Basarán. Entre los árboles del río, había, en efecto, muchas sombras, aparte de la mía, y un murmullo interminable de palabras y sonidos que el ruido de la espuma, en los rabiones, no alcanzaba a sepultar. Las sombras sólo yo podía advertirlas. Se deshacían como humo en la mirada e, incluso, alguna vez llegué a dudar de que existieran de verdad. Pero el llanto de los perros —aquel triste gemido que brotaba de las aguas y en el que se confundían los de todos los cachorros que, a lo largo de la historia, los vecinos de Ainielle al río le entregamos— también la perra podía oírlo, igual que yo, y respondía nerviosa cuando, entre todos ellos, reconocía de pronto los de sus seis hermanos de camada, justo junto a la poza en la que yo les había ahogado, metidos en un saco, a poco de nacer.

Pobre perra. Ella ni siquiera había llegado a conocerlos. Fue la única en salvarse de toda la camada, y cuando abrió los ojos, sus hermanos ya estaban pudriéndose en el saco, entre las espadañas y los juncos de algún pozo, tal vez a muchos metros de distancia río abajo. En realidad, la perra apenas conoció a nadie de su raza. Su madre se murió a causa de aquel parto —eran ya muchos años y demasiados partos los que la vieja *Mora* arrastraba a sus espaldas— y ella creció ya sola, completamente sola, por las calles de un pueblo que hasta los mismos perros habían abandonado. Sabina fue su verdadera madre. La crió día a día con la leche de las cabras e, incluso, algunas noches, al principio, para darle calor, la subió con nosotros a la cama. Pero Sabina se murió sin bautizarla. Ninguno de los dos nos acordamos. ¿Para qué? ¿Qué falta le hacía un nombre a aquella perra si ya no había en el pueblo ningún otro de quien diferenciarla?

Quién me lo iba a decir. Aquella pobre perra sin nombre ni camada, aquel cachorro ciego que se salvó de ser ahogado simplemente por azar —fue el último en nacer— sería, con el tiempo, el único ser vivo que me acompañaría hasta el final. Cuando todos se fueron, ella quedó conmigo. Cuando yo me encerré en casa, después de aquel último viaje hasta Berbusa, y decidí no volver ya a salir de aquí, ella siguió mi ejemplo sin preocuparse siquiera por su suerte en el caso de que un día también yo la abandonara. Y, ahí, tumbada en el portal, debajo del escaño en el que yo he pasado estos últimos años de mi vida, la perra ha compartido mi destino sin recibir a cambio más que un poco de cariño y de comida.

Ignoro si también ella perdió la noción de los días a medida que pasaban; si, tras su indiferencia, se escondía tan sólo el desamparo que la imposibilidad de detener el tiempo sin duda le causaba. No era fácil saberlo. La perra estaba siempre tumbada entre mis pies, debajo del escaño, o vagando sin rumbo por el pueblo tras mis pasos, y su mirada apenas transmitía otra expresión que la de un inmenso hastío y desencanto. Sólo las escapadas hasta el monte conseguían sacarle de este estado. Sólo las escapadas hasta el monte y, también, de tarde en tarde, el aullido lejano de algún lobo que cruzaba en la noche las crestas del Erata. Pero, en seguida, se sumía nuevamente en el desánimo. En cuanto regresábamos a casa, la perra recaía en un estado de apatía que cada vez era más cruel y desesperanzado, cada vez más y más impenetrable. Quizá le sucedía igual que a mí: el tiempo transcurría con tanta mansedumbre, se deslizaba entre las casas y los árboles tan lento e imperturbable, que ni siquiera podía darme cuenta de que se me evaporaba, como un frasco de alcohol, entre las manos.

El tiempo fluye siempre igual que fluye el río: melancólico y equívoco al principio, precipitándose a sí mismo a medida que los años van pasando. Como el río, se enreda entre las ovas tiernas y el musgo de la infancia. Como él, se despeña por los desfiladeros y los saltos que marcan el inicio de su aceleración. Hasta los veinte o treinta años, uno cree que el tiempo es un río infinito, una sustancia extraña que se alimenta de sí misma y nunca se consume. Pero llega un momento en que el hombre descubre la traición de los años. Llega siempre un momento —el mío coincidió con la muerte de mi madre— en el que, de repente, la juventud se acaba y el tiempo se deshiela como un montón de nieve atravesado por un rayo. A partir de ese instante, ya nada vuelve a ser igual que antes. A partir de ese instante, los días y los años empiezan a acortarse y el tiempo se convierte en un vapor efímero —igual que el que la nieve desprende al derretirse— que envuelve poco a poco el corazón, adormeciéndolo. Y, así, cuando queremos darnos cuenta, es tarde ya para intentar siquiera rebelarse.

Yo me di cuenta de que mi corazón ya estaba muerto el día en que se fueron los últimos vecinos. Hasta entonces, había vivido siempre tan volcado en el trabajo, tan pendiente de la casa y la familia —pese a que todos mis esfuerzos, al final, no sirvieran para nada—, que ni siquiera tuve tiempo de ver cómo yo mismo envejecía. Pero aquella noche, en el molino, mientras en Casa Julio hacía los últimos preparativos de la marcha y la lluvia amarilla caía mansamente sobre el río, me di cuenta, de repente, de que mi corazón también estaba ya empapado por completo por la lluvia. Luego, ocurrió lo de Sabina. Y, a partir de ese día, la soledad me obligó a ser testigo permanente e irremediable de mi propia destrucción bajo el peso de los años ya vividos.

Fue, sin embargo, en estos años últimos, desde que decidí no volver más a buscar fuera de Ainielle lo que nadie me daría, cuando la soledad se hizo tan fuerte que llegué, incluso, a perder la noción y la memoria de los días. No se trataba ya de aquella extraña sensación de desconcierto que me invadió el primer invierno, a raíz de la muerte de Sabina. Se trataba simplemente de que ya no era capaz de recordar lo que había sucedido el día anterior, ni siquiera si realmente había existido, ni de sentir dentro de mí, como siempre había sentido, el flujo intermitente de las horas corriendo con la sangre por mis venas. Era como si el tiempo se hubiera detenido de repente; como si mi corazón estuviera ya podrido por completo —lo mismo que la fruta en los árboles de Ainielle— y los días resbalaran sobre él sin que apenas pudiera ya sentirlos. Recuerdo que, al principio, aquella sensación desconocida me asustaba. Me asaltaba en la noche como una pesadilla que me obligaba a estar despierto, sin dormirme, dando vueltas y más vueltas en la cama, ante el temor de que, si el sueño me vencía, tal vez nunca volvería a despertarme. Poco a poco, sin embargo, me fui habituando a ella e, incluso, comencé a experimentar un especial placer en dejarme arrastrar por aquel vértigo. Era como cuando, de niño, bañándome en el río, me tumbaba en el agua e, inmóvil por completo, me dejaba llevar por la corriente hacia los pasadizos subterráneos del molino de los que nadie ni nada regresaba. Sentado en el portal o en la cocina, con la mirada quieta, e indiferente, en algún punto del paisaje o de la lumbre, de nuevo me invadía la misma sensación, confusa y turbadora, de paz y de peligro.

Pero, en el río, yo sabía que podía detenerme y escapar de la corriente, en el último momento, salvando así la vida, mientras que, ahora, la corriente estaba dentro de mí mismo. Aunque ya no la sentía, sabía que fluía como un río invisible por mis venas y que me arrastraría sin remedio cuando el turbión final del tiempo penetrara bajo los pasadizos abisales e infinitos de la muerte en que ahora está ya entrando. Y, a veces, cuando la soledad era más fuerte que el silencio, sentía ya sus sombras tan cercanas, tan violentas, que abandonaba mi lugar en el portal o en la cocina y vagaba horas enteras junto al río para olvidar aquel murmullo de agua muerta que corría por mis venas.

Una de aquellas veces, ya no recuerdo cuándo —la memoria me falla y se deshace como escarcha al evocar estos últimos años de mi vida—, me sorprendió la noche sentado todavía junto al río. Recuerdo, sí, que era una tarde fría, de noviembre o diciembre (el viento descendía, helado, por el río y los chopos ya estaban deshojados), y que llevaba varias horas sin moverme de aquel sitio. La perra me miraba, tumbada entre los juncos, extrañada tal vez de que tardara tanto en regresar aquella tarde al lado de la lumbre. Seguramente, tenía frío. Pero yo seguía sentado, envuelto en la chaqueta, contemplando en silencio la caída de la noche entre los árboles del río. Sentía un frío extraño dentro de los pulmones —un frío aún más intenso que el del río— y un miedo inexplicable y repentino a regresar a casa y enfrentarme un día más al silencio de mi madre en la cocina. Me había acostumbrado poco a poco a su presencia, me había resignado a compartir con ella cada noche los recuerdos y las brasas de la lumbre, pero su palidez mortal y su mutismo seguían produciéndome la misma desazón del primer día.

Poco a poco, la noche fue cayendo sobre el río y envolviendo en su penumbra las siluetas de los chopos y mi propia incertidumbre. Con la llegada de la noche, el río pareció cobrar de pronto nueva vida: el viento empezó a aullar entre los juncos, los rabiones acallaron suavemente el eco torturado e interminable de la espuma y la pasión del agua dejó paso de repente a una confusa algarabía de sombras y sonidos. Hojas, alas de pájaro, murmullos y gemidos se mezclaban con el viento y los rabiones, llenando de misterios y amenazas todo el río. La perra se acercó y se sentó a mi lado —las orejas enhiestas, alerta los sentidos—, no sé bien si ofreciéndome o buscando compañía. Quizá había oído algún ladrido ahogado entre los juncos. Yo tampoco aguanté mucho en aquel sitio. Sabía que mi madre estaba ya esperándome, igual que de costumbre, en la cocina —el aroma del humo que llegaba del pueblo me indicaba en la noche que ella misma se había encargado ya de poner lumbre—, pero sabía también que si tardaba en regresar, iría seguramente a buscarme junto al río. Antes de que llegara, me levanté y salí al camino. Y, sin saber muy bien por qué ni a dónde iba, atravesé de un salto la pontona y eché a andar en dirección contraria a la del humo.

La perra me miró, desconcertada —incluso se detuvo en la pontona, dudando brevemente si seguirme—, pero en seguida me alcanzó y continuó andando conmigo monte arriba. Lentamente, por el camino de Berbusa, nos fuimos adentrando entre los robles sintiendo cómo el humo se alejaba poco a poco con el río a nuestra espalda. Era una noche oscura, quizá la más oscura que recuerdo. Durante todo el día, las nubes habían ido apelmazándose en el cielo y, ahora, añadían a las sombras de los robles la luz negra de sus sombras infinitas. Llegó un momento en que la perra y yo perdimos el camino. Durante largo rato, tratamos de encontrarlo nuevamente sin conseguir sino desorientarnos más aún en el empeño de la búsqueda. Era extraño. La perra y yo conocíamos el monte palmo a palmo, lo habíamos andado tantas veces que, incluso, habríamos podido reconocer a ciegas cada cuesta y cada árbol, pero esa noche, inexplicablemente, ninguno de los dos lográbamos apenas orientarnos. Parecía como si las aliagas y los robles jugaran a engañarnos cambiándose de sitio; como si, de repente, un nuevo orden imperara en torno nuestro y el camino de Berbusa se hubiera evaporado a nuestros pies. Ignoro el tiempo que pasamos tratando de encontrarlo nuevamente. Ignoro, incluso, si alguna vez llegamos a cruzarlo en nuestra búsqueda sin que ninguno de los dos nos enteráramos. Solo sé que, de pronto, al doblar una cuesta, descubrí ante nosostros las maderas quemadas y los muros caídos del viejo caserón de Sobrepuerto.

Agotado, me dejé caer sobre la hierba, contra un roble, cerca ya de la casa y del camino. Estaba tan cansado que apenas si podía respirar. La perra me imitó, jadeante y nerviosa, sin dejar de mirar un solo instante hacia la casa. Era evidente que el lugar no le gustaba. Pese a que ni siquiera había nacido todavía —ni ella, ni la *Mora,* ni la madre de la madre de la *Mora*— cuando se desató aquel terrible incendio que sorprendió durmiendo a la familia y a todos los animales en las cuadras —la chimenea, al parecer, había sido la causa—, el perfil torturado de los muros y el olor a quemado que las vigas desprendían todavía al cabo de los años producían en la perra un claro sentimiento de rechazo. A mí también me sucedía lo mismo. Con sólo quince años, yo había subido allí para apagar el fuego con todos los vecinos de Ainielle y de Berbusa —recuerdo que, esa noche, las campanas de los pueblos estuvieron tocando sin descanso hasta bien entrada ya la madrugada— y todavía tenía grabados firmemente en mi memoria los bramidos brutales del ganado aprisionado dentro de las cuadras y el lamento terrible, interminable, de aquella pobre vieja que sobrevivió aún casi una hora con el pelo y la cara totalmente calcinados. Por eso, siempre que pasaba por allí, de camino a Berbusa o de regreso a casa, me santiguaba y apretaba el paso. Pero, esa noche, sentado entre los robles, con la perra a mi lado, la cercanía de los muros no sólo ya no me inquietaba, sino que, por el contrario, serenaba mi ánimo y me tranquilizaba. Después de varias horas perdido por el monte, al fin había encontrado la referencia y el camino para poder volver a casa.

Fue en ese mismo instante, cuando me disponía a levantarme para salir al camino y regresar —de nuevo me sentía con fuerzas para ello—, cuando escuché de pronto aquel lamento horrible entre los paredones calcinados de la casa. La perra empezó a aullar y un seco escalofrío me recorrió de arriba abajo. Pese a ello, me volví hacia la casa y caminé unos pasos. Pocos, los justos solamente para verla: la vieja caminaba ya a mi encuentro, mirándome a los ojos, suplicando, como si llevara allí desde aquel día esperando a que alguien regresara a socorrerla.

Sí. Era ella, sin duda. El mismo camisón despedazado, el mismo pelo blanco, humeante todavía, la misma cara negra y calcinada. Aterrado, retrocedí sobre mis pasos y comencé a correr en dirección contraria a la de ella. La perra me siguió rodando por la cuesta y aullando sin cesar a mis espaldas. De repente, todo el monte parecía haberse puesto en movimiento. Los robles se apartaban, silenciosos, a mi paso, las aliagas crujían igual que en la cocina, entre las llamas, y, sobre las aliagas y los robles, un humo denso y misterioso empezaba a adueñarse poco a poco del monte y de mis ojos. Envuelto en aquel humo, volví a verla de nuevo. Al final de la cuesta. Esperándome. Como una sombra negra y suplicante. Sin dejar de correr, torcí hacia la derecha, hacia los matorrales. Pero también estaba allí. La vieja estaba en todas partes. Detrás de cada cuesta. Detrás de cada árbol. Oculta en cada sombra y en cada vuelta del camino. Era inútil que siguiera corriendo porque, allí donde fuera, ella estaría ya esperándome, repitiendo incansable aquel lamento horrible, brutal, interminable: ¡Dadme agua y matadme!... ¡Dadme agua y matadme!...

13

¡Dadme agua y matadme!

Pero ¿quién lo está diciendo? ¿De quién es esta voz que lo repite, monótona e incansable, desde hace ya algún tiempo?

¿Es la voz de la vieja o es mi propia voz la que repite sus palabras?

¿Y esta respiración? ¿Es mi respiración o es la respiración final —final e interminable— de mi hija?

El humo abrasa mis pulmones, me seca la garganta, pone en mi propia voz el eco de otras voces y el ritmo irregular de otras respiraciones distintas de la mía: ¡Padre, tengo sed!... ¡Dadme agua y matadme!... ¿Voy a morir, verdad?... ¡Dadme agua y matadme!... ¡Padre, tengo miedo!... ¡Dadme agua y matadme!... ¡Dadme agua y matadme!... Sí. Voy a morir. Estoy muriéndome, es verdad. Y tengo sed. Y fiebre. Y miedo. Estoy muriéndome y me arden en el pecho todas las voces muertas y todos los cigarros de mi vida. De mi vida, que se acaba sin remedio.

Me incorporo en la almohada. Busco el contacto helado de las barras de la cama. Respiro hondo, lentamente, dejo que el aire entre, refrescante y brutal, en mis pulmones. Antes de recobrar de nuevo, plenamente —¿plenamente?—, la conciencia, todavía oigo una vez más el eco del lamento de la vieja: ¡Dadme agua y matadme!... ¡Dadme agua y matadme!...

¡Dadme agua y matadme!

Si todavía hubiera alguien en Ainielle, también yo suplicaría ahora lo mismo que la vieja. Si todavía hubiera alguien en Ainielle.

Pero estoy solo. Completamente solo. Cara a cara con la muerte.

14

Muchas veces oí que el hombre afronta siempre solo este momento, pese a que, en su agonía, familiares y vecinos le rodeen. Al fin y al cabo, cada hombre es responsable de su vida y de su muerte y solamente a él le pertenecen. Pero sospecho —ahora que mi vida ya se acaba y la lluvia amarilla anuncia en la ventana la llegada de la muerte— que una mirada humana, una simple palabra de engaño o de consuelo, bastarían quizá para quebrar, siquiera brevemente, la inmensa soledad que ahora estoy sintiendo.

Hace ya varias horas que la noche me rodea por completo. La oscuridad borra a mi alrededor el aire y los objetos y la casa está sumida en el silencio. ¿Puede haber algo más parecido a esto que la muerte? ¿Podrá realmente haber en algún sitio un silencio más puro que el que ahora me rodea? Seguramente, no. Seguramente, nada cambiará, ni en mi memoria ni en mis ojos, cuando la muerte se apodere definitivamente de ellos. Seguirán recordando, mirando, más allá de la noche y de mi cuerpo. Continuarán muriendo eternamente hasta que alguien llegue un día y los libere para siempre del hechizo de la muerte.

Hasta que alguien llegue un día y los libere. Pero, ¿cuándo ocurrirá eso? ¿Cuánto tiempo habrá todavía de pasar antes de que me encuentren y mi alma pueda, al fin, descansar junto a mi cuerpo para siempre?

Mientras hubo vecinos en Ainielle, la muerte nunca estuvo vagando más de un día por el pueblo. Cuando alguien moría, la noticia pasaba, de vecino en vecino, hasta el final del pueblo y el último en saberlo salía hasta el camino para contárselo a una piedra. Era el único modo de librarse de la muerte. La única esperanza, cuando menos, de que, un día, andando el tiempo, su flujo inagotable pasara a algún viajero que, al cruzar por el camino, cogiera, sin saberlo, aquella piedra. A mí me tocó hacerlo varias veces. Cuando murió Bescós el Viejo, por ejemplo. O cuando Casimiro, el de Isabal, apareció una noche muerto, en el camino de Cortillas, con varias puñaladas en el cuerpo. Casimiro había bajado a la feria de Fiscal a vender unos corderos, pero jamás volvió con el dinero de la venta. Un pastor de Cortillas encontró su cadáver, al cabo de diez días, bajo un montón de piedras. Yo estaba con las ovejas en el puerto y fui el último en saberlo. Y, aquella noche, mientras todos dormían, volví al lugar donde le habían hallado y se lo conté a una de las piedras amontonadas por el asesino para ocultar el cuerpo.

Cuando murió Sabina, en lugar de a una piedra, fui a contárselo a uno de los árboles del huerto. Era un manzano viejo, un árbol retorcido y casi seco que mi padre había plantado junto al pozo, al nacer yo, para ver cómo los dos crecíamos a un tiempo. Cuando murió Sabina, el árbol tenía, pues, sesenta años y apenas ya daba cosecha. Pero, aquel año, sus ramas se llenaron de flor en primavera y, al llegar el otoño, las manzanas las doblaban con su peso. Unas manzanas grandes, carnosas, amarillas, que dejé que se pudrieran en el árbol, sin probarlas, porque sabía que nutrían su esplendor con la savia putrefacta de la muerte.

Esa savia corre ahora, dulce y lenta, por mis venas y en Ainielle ya no hay nadie que me pueda librar de ella cuando muera. Yo seré el único, el primero y el último en saberlo. El que tendría, por tanto, que salir hasta el camino para contarle a un árbol o a una piedra que me he muerto. Pero ya no podré hacerlo. Tampoco podré ir hasta Berbusa, como el día de la muerte de Sabina, para pedir a los vecinos que me entierren. No tendré ya otro remedio que esperar a que me encuentren. Aquí, en esta misma cama, mirando hacia la puerta, mientras los pájaros y el musgo me devoran y la savia de la muerte va pudriendo mi recuerdo lentamente.

15

Lentamente, las horas van pasando y la lluvia amarilla va borrando la sombra del tejado de Bescós y el círculo infinito de la luna. Es la misma de todos los otoños. La misma que sepulta las casas y las tumbas. La que envejece a los hombres. La que destruye poco a poco sus rostros y sus cartas y sus fotografías. La misma que una noche, junto al río, entró en mi alma para no volver ya nunca a abandonarme el resto de los días de mi vida.

Día a día, en efecto, a partir de aquella noche junto al río, la lluvia ha ido anegando mi memoria y tiñendo mi mirada de amarillo. No sólo mi mirada. Las montañas también. Y las casas. Y el cielo. Y los recuerdos que, de ellos, aún siguen suspendidos. Lentamente, al principio, y, luego ya, al ritmo en que los días pasaban por mi vida, todo a mi alrededor se ha ido tiñendo de amarillo como si la mirada no fuera más que la memoria del paisaje y el paisaje un simple espejo de mí mismo.

Primero, fue la hierba, el musgo de las casas y del río. Luego, el perfil del cielo. Más tarde, las pizarras y las nubes. Los árboles, el agua, la nieve, las aliagas, hasta la propia tierra fue cambiando poco a poco el color negro de su entraña por el de las manzanas corrompidas de Sabina. Al principio, yo creía que aquello era sólo un delirio, una ilusión fugaz de mi mirada y de mi espíritu que se iría de nuevo igual que había venido. Pero aquella ilusión siguió conmigo. Cada vez más precisa. Cada vez más real y más firme. Hasta que, una mañana, al levantarme y abrir la ventana, vi las casas del pueblo completamente ya teñidas de amarillo.

Recuerdo que pasé vagando por el pueblo, como en sueños, todo el día. Pese a su rotundidad, no acababa de creer lo que veía. Las tapias, las paredes, los tejados, las ventanas y las puertas de las casas, todo a mi alrededor era amarillo. Amarillo como paja. Amarillo como el aire de una tarde de tormenta o como el resplandor de los relámpagos en una pesadilla. Podía verlo, sentirlo, tocarlo con las manos, mancharme las retinas y los dedos igual que cuando niño, allá, en la escuela vieja, jugaba con la tinta. Lo que creía una ilusión, una alucinación fugaz de mi mirada y de mi espíritu, era algo tan real como que yo todavía estaba vivo.

Aquella noche, no conseguí dormirme. Hasta el amanecer, permanecí sentado a la ventana, envuelto en una manta, viendo cómo las hojas sepultaban poco a poco los tejados y las calles. Abajo, en el portal, la perra aullaba tristemente y, en la cocina, mi madre iba y venía añadiendo cada poco más troncos a la lumbre. Seguramente, las dos tenían frío. Antes de amanecer, hacia las cinco o las seis de la mañana, las vi salir y perderse entre las casas igual que cuando aún Sabina estaba viva y la perra la seguía en plena noche en sus interminables paseos por la nieve y la locura. Pero, esta vez, la perra volvió sola, al poco rato, justo cuando la noche comenzaba a disolverse en una mancha gris y mortecina. Se paró ante la casa, al pie de la ventana, y se quedó mirándome en silencio, fijamente, como si fuera la primera vez que me veía. Y, entonces, descubrí —al contraluz fugaz de la primera luz del día— que la sombra de la perra también era amarilla.

Aquel descubrimiento no fue el último. Ni siquiera el más duro: no tardé mucho tiempo en darme cuenta de que también lo era la mía. Para entonces, ya había comenzado a acostumbrarme, sin embargo, a la descomposición de los colores y las sombras y a la melancolía que dejaba en mis sentidos. Había comprendido que no era mi mirada, sino la propia luz la que se corrompía. Podía verlo en el cielo, en los claros del río, en las habitaciones de las casas donde el silencio y la humedad se entremezclaban en una pasta espesa y amarilla. Era como si el aire estuviera ya podrido. Como si el tiempo y el paisaje se hubieran corrompido poco a poco al contacto con las ramas del manzano de Sabina. Cuando lo comprendí —aquella noche en la que supe que la perra también estaba muerta—, cogí el hacha decidido a cortar aquel árbol de raíz. Pero, en seguida, me di cuenta de que de nada serviría. La savia de la muerte había ya invadido todo el pueblo, roía las maderas y el aire de las casas, impregnaba mis huesos como una humedad lenta y amarilla. Todo a mi alrededor estaba muerto y yo no era una excepción, aunque mi corazón latiera todavía.

Mi corazón siguió latiendo hasta esta noche, pero nunca pudo ya volver a descansar. Se detendrá, de hecho, igual que un reloj viejo, dentro de unos minutos, de unas horas quizá —antes de que amanezca, en cualquier caso—, sin haber vuelto a sentir el vértigo del sueño en sus latidos. El sueño es como el hielo: paraliza y destruye, pero sumerge a quien lo toca en la profundidad más dulce de sí mismo. Cuántas veces, sentado a la ventana, recordé las largas noches de la infancia, cuando la soledad todavía no existía y el miedo era tan sólo el velo que ocultaba los símbolos del sueño que pronto iba a llegar. Cuántas veces deseé, mientras la noche se extendía como un espacio muerto ante mis ojos, que la nieve del sueño los helara, aunque jamás pudiera ya volver a despertarme. Pero nunca ocurrió. Jamás volví a sentir el vértigo invencible de la nieve al penetrar dentro de mí. Las noches transcurrían premiosas e infinitas y yo las veía irse inmóvil en la cama o paseando sin descanso por la casa, mientras la perra aullaba en la calleja y mi madre me esperaba sentada en la cocina. Y, a veces, cuando el compás del corazón era tan fuerte que retumbaba en las paredes y en mis huesos como un reloj a punto de estallar, abandonaba la cama o mi vigilia al pie de la ventana y vagaba horas enteras por el pueblo, entre la soledad y las ruinas de las casas, hasta que el amanecer me sorprendía sentado en algún sitio, tan inquieto, tan cansado, que ni siquiera recordaba si me había quedado allí dormido o si acababa simplemente de llegar a aquel lugar.

Hoy tampoco ya recuerdo el tiempo que he pasado sin dormir. Días, meses, años quizá. Hay un momento de mi vida en el que los recuerdos y los días se confunden, un punto indefinido y misterioso en el que la memoria se deshace igual que el hielo y el tiempo se convierte en un paisaje inmóvil e imposible de aprehender. Quizá hayan pasado varios años desde entonces —años que, en algún sitio, alguien se habrá ocupado, seguramente, de contar—. O quizá no. Quizá esta que estoy viviendo es aún la misma noche que aquella en que entendí que yo ya estaba muerto y que, por eso, no podía ya dormir. Pero, en cualquiera de los casos, ¿qué puede importar ya? Si pasaron cien días, cien meses o cien años, ¿qué más da? Pasaron tan deprisa que apenas tuve tiempo de ver cómo se iban. Si es esta misma noche la que, por el contrario, se prolonga, oscura e interminable, desde aquel atardecer, ¿por qué evocar ahora un tiempo que no existe, un tiempo que es arena sobre mi corazón?

16

Como arena, el silencio sepultará mis ojos. Como arena que el viento ya no podrá esparcir.

Como arena, el silencio sepultará las casas. Como arena, las casas se desmoronarán. Oigo ya sus lamentos. Solitarios. Sombríos. Ahogados por el viento y la vegetación.

Caerán poco a poco, sin ningún orden cierto, sin ninguna esperanza, arrastrando en su caída a todas las demás. Unas, irán hundiéndose despacio, muy despacio, bajo el peso del musgo y de la soledad. Otras, caerán de bruces en el suelo de repente, violenta y torpemente, como animales abatidos por las balas de un paciente e inexorable cazador. Pero todas, más tarde o más temprano, más tiempo o menos tiempo resistiendo inútilmente, acabarán un día devolviéndole a la tierra lo que siempre fue suyo, lo que siempre ha esperado desde que el primer hombre de Ainielle se lo arrebató.

Seguramente, ésta será de las primeras en caerse (quizá conmigo, incluso, dentro de ella todavía). Hundidas la de Chano y la de Lauro, borrados ya por la maleza y los arbustos la memoria y los muros de la de Juan Francisco y la de Acín, mi casa es ya una de las más viejas de todas las que aún siguen en pie.

Pero, ¿quién sabe? A lo mejor, resiste. A lo mejor, sigue mi ejemplo y aguanta hasta el final, desesperada y tenazmente, viendo cómo se queda sola día a día, viendo cómo las otras la van abandonando poco a poco igual que a mí me hicieron sus vecinos. Y cabe, incluso, que un día Andrés regrese, al cabo de los años, para enseñarle Ainielle a su familia, a tiempo todavía de ver su casa en pie como recuerdo de la lucha de sus padres y como testimonio silencioso del olvido en que él nos tuvo.

Pero será difícil. Si Andrés vuelve algún día, será seguramente para ver un gran montón de arbustos y ruinas. Si alguna vez regresa, hallará los caminos cerrados por las zarzas, las acequias cegadas, las bordas y las casas derruidas. No quedará ya nada de lo que un día fue suyo. Ni las viejas callejas. Ni los huertos del río. Ni la casa en que un día él mismo vino al mundo, mientras la nieve sepultaba los tejados y, en las calles y caminos, arreciaba la ventisca. Pero la nieve ya no será la causa de la desolación que Andrés encontrará ese día. Buscará entre las zarzas y las vigas podridas. Escarbará entre los escombros de los antiguos muros y quizá encuentre aún alguna silla rota o las pizarras de la vieja chimenea a la que tantas noches se arrimó cuando era niño. Pero eso será todo. Ni un retrato olvidado. Ni un vestigio de vida. Cuando Andrés vuelva a Ainielle, será para saber que todo está perdido.

Cuando Andrés vuelva a Ainielle —si es que vuelve algún día—, muchos, antes que él, habrán hecho lo mismo. De Berbusa, de Espierre, de Oliván, de Susín. Los pastores de Yésero. Los gitanos de Biescas. Los antiguos vecinos. Todos acudirán como buitres, a mi muerte, para llevarse los despojos de este pueblo en el que yo dejo mi vida. Romperán los cerrojos, las puertas. Saquearán las casas y las bordas, una a una. Los armarios, las camas, los baúles, las mesas, la ropa y los aperos, las herramientas de trabajo y los cacharros de cocina. Todo lo que, durante siglos, con enorme trabajo, los vecinos de Ainielle reunimos irá a parar poco a poco a otros lugares, a otras casas, quizá a algún comercio de Huesca o Zaragoza. Fue lo que ya ocurrió en Basarán y en Cillas. Y en Casbas. Y en Otal. Y en Escartín. Y en Bergua. Lo mismo que muy pronto ocurrirá también en Yésero y Berbusa.

Mientras yo he estado aquí, nadie tuvo valor para venir a Ainielle a llevarse las cosas que habían abandonado los vecinos. Después de lo de Aurelio, nadie se atrevió siquiera ya a cruzar la frontera que, entre ellos y yo, sabían que existía. Alguna vez vi a alguno rondar por los caminos o vigilar el pueblo desde lejos, entre los árboles, pero todos huían en cuanto me veían. Seguramente, tenían miedo de que un día cumpliera la amenaza que a Aurelio le había hecho delante mismo de la puerta de su casa.

Lo que ellos no sabían —ni lo sabrán ya nunca— es que, al verles, también yo sentía miedo. Pero no de ellos. Ni de sus escopetas. Sentía miedo de mí mismo. Miedo de no saber cuál sería de verdad mi reacción si algún día me encontraba por el monte cara a cara con alguno. En realidad, lo de Aurelio no había sido más que un puro y simple aviso, una amenaza hecha con la única intención de intimidarle para que nunca nadie volviera a molestarme. Pero jamás pensé que alguna vez tendría que cumplirla. Ni siquiera pensé —al menos aquel día— si de verdad sería capaz de disparar a sangre fría contra él si alguna vez volvía. Por eso, cuando veía a alguien rondando los caminos o vigilando el pueblo desde el monte, sentía miedo de mí mismo —miedo de mi escopeta y de mi sangre— y me escondía.

Pero, dentro de poco, yo ya no estaré vivo. Dentro de unos minutos, de unas horas quizá —antes de que amanezca, en cualquier caso—, yo estaré ya sentado con los muertos en torno de la lumbre y Ainielle habrá quedado totalmente vacío, totalmente indefenso, a merced de esos ojos que, ahora, le vigilan. Quizá tarden aún un tiempo en acercarse. Quizá todavía esperen a comprobar que de verdad estoy ya muerto y no podré salir con la escopeta a recibirles. Pero, en cuanto los vecinos de Berbusa lo descubran, al día siguiente mismo de que mi cuerpo yazca, por fin, bajo la tierra, todos, empezando quizá por los propios vecinos de Berbusa, caerán como alimañas sobre las piedras indefensas de este pueblo que, dentro de muy poco, morirá también conmigo. Y, así, el día en que Andrés venga, no encontrará ya más que un gran montón de arbustos y ruinas.

Pero quizá Andrés no vuelva nunca. Quizá el tiempo irá pasando, irremisible y lentamente, sin que Andrés llegue a olvidar lo que, la noche antes de irse, yo le dije. Tal vez sería lo mejor. Tal vez yo mismo debería haberle escrito esta mañana —y dejado la carta en la mesita, al lado de la cama, para que, cuando vinieran, los hombres de Berbusa la encontraran— y haberle recordado una vez más las palabras de aquel día: que no volviera nunca. Le evitaría, por lo menos, la amargura de ver su pueblo hundido y su casa enterrada por el musgo, lo mismo que sus padres.

Ya es tarde, sin embargo, para eso. Ya es tarde, incluso, para pensar qué hubiera sido de este pueblo, qué sería ahora de esta casa y de mí mismo si, en lugar de marcharse, Andrés hubiera decidido quedarse aquí conmigo y con su madre. Ya es tarde para todo. La lluvia está borrando la luna de mis ojos y, en el silencio de la noche, escucho ya un murmullo lejano, vegetal, desolado, como de ortigas que se pudren en el río de mi sangre. Es el murmullo verde de la muerte, que se acerca. El mismo que escuché en las habitaciones de mi hija y de mis padres. El que fermenta en las tumbas, en las fotografías olvidadas. El único sonido que perdurará cuando en Ainielle nadie ya pueda escucharlo. Crecerá con la noche, lo mismo que los árboles. Se pudrirá con la lluvia y con el sol de marzo. Invadirá los pasillos y las habitaciones de las casas mientras éstas se caen, mientras la soledad y las ortigas van borrando el rastro de sus muros, los tejados hundidos, el recuerdo lejano de quienes las construyeron y habitaron. Pero nadie lo oirá. Ni siquiera las víboras. Ni siquiera los pájaros. Nadie se detendrá a escuchar —igual que yo ahora escucho— ese lamento verde de la piedra y de la sangre cuando la vegetación y el frío de la muerte les invaden. Y, un día, cuando pasen los años, quizá algún viajero pase junto a las casas sin saber que, una vez, hubo un pueblo a su lado.

Sólo si Andrés regresa, sólo si un día se olvida de mi vieja amenaza o su propia vejez despierta al fin en él la compasión y la nostalgia, buscará entre las piedras las huellas de esta casa, rastreará bajo la hierba el recuerdo de sus padres y, ¿quién sabe?, quizá alcance todavía a descubrir entre las zarzas una laja de piedra con mi nombre grabado y el perfil de la tumba en la que, dentro de muy poco, yo dormiré esperándole.

17

Yo mismo la he cavado esta mañana, entre la de Sabina y la de Sara, con mis últimas fuerzas y la única ayuda de una pala. Antes, tuve que desbrozar con una hoz las zarzas de la entrada y la espesa red de ortigas y matojos que cubrían por completo el cementerio. Desde el entierro de Sabina, no había vuelto a entrar en él.

Cuando la vean —si pasa mucho tiempo, quizá llena de nuevo de ortigas y de agua—, más de uno pensará que, como se decía, Andrés, de Casa Sosas, el último de Ainielle, ciertamente estaba loco. ¿Quién, sino un loco o un condenado, sería capaz de cavar su propia tumba instantes antes de morir o de ser ejecutado? Pero yo, Andrés de Casa Sosas, el último de Ainielle, ni estoy loco ni me siento condenado, salvo que sea estar loco haber permanecido fiel hasta la muerte a mi memoria y a mi casa, salvo que pueda realmente considerarse una condena el olvido en el que ellos mismos me han tenido. Si he cavado mi tumba, ha sido simplemente para evitar ser enterrado lejos de mi mujer y de mi hija.

También había pensado hacer mi propia caja, igual que un día hice las cajas de mis padres y mi padre hizo, a su vez, las de los suyos. Al fin y al cabo, yo ya no tengo a nadie que me pueda hacer la mía. Pero no pude. La madera que tenía preparada para ello todavía estaba húmeda, pese a que la corté en la primavera, con la luna en menguante, para que el viejo tilo de la escuela no sufriera y su madera pudiera resistir bajo la tierra muchos años. El secreto lo aprendí, todavía niño, de mi padre. Aunque no nos demos cuenta, un árbol está vivo, y siente, y sufre, y se retuerce de dolor cuando el hacha entra en su carne, formando las estrías y los nudos por los que penetrarán más tarde el moho y la carcoma que acabarán pudriéndola algún día. En cambio, con la luna menguante, los árboles se duermen y, como cuando un hombre se muere, de repente, en pleno sueño, ni siquiera se dan cuenta de que están siendo cortados. Y así, su madera queda lisa, compacta, impenetrable, capaz de resistir la podredumbre de la tierra muchos años.

Yo siempre deseé morir así: como un árbol dormido, como un tilo hechizado, en la paz de la noche, por la luz de la luna. Pero tampoco en esto tengo la fortuna de mi parte. No sólo estoy muriéndome completamente solo, totalmente indefenso, sino que soy conciente en cada instante de cómo el hielo va avanzando por mi sangre. No sólo estoy despierto —despierto y desvelado— ante las puertas de la muerte, sino que, desde hace muchas noches, el sueño y sus misterioso me han abandonado. Y, por si ello fuera poco, en lugar de dormirme, en lugar de ayudarme a enfrentarme a la muerte, la luna se deshace y también me abandona.

Ya no me queda nadie. Ni siquiera la perra. Ni siquiera mi madre. Mi madre no ha venido esta noche a acompañarme —quizá está esperándome, con Sabina y con Sara, al lado de mi tumba— y la perra yace ya, bajo un montón de piedras, en medio de la calle. Pobre perra. Por mucho que lo intente, mientras mi corazón resista, no lograré olvidar su última mirada. Ella jamás podrá entender por qué lo hice. Ella jamás podrá saber el dolor que sentí al separarme para siempre de su lado. Durante todos estos años, ha sido el único ser vivo que no me ha abandonado e, incluso, esta mañana, me acompañó hasta el cementerio y se quedó a la puerta, inmóvil y extrañada, como queriendo averiguar para quién era aquella tumba que yo estaba cavando. Luego, volvió conmigo a casa y se tumbó bajo el escaño del portal, igual que de costumbre, dispuesta a ver pasar un día más las lentas horas de la tarde por la calle. Cuando me vio salir de nuevo, portando la escopeta, sus ojos se alegraron. Hacía tanto tiempo que no íbamos al monte, que comenzó a correr ladrando y dando saltos. Al llegar junto a la iglesia, se volvió. Se quedó quieta, mirándome, como si me preguntara por qué estaba apuntándola. No esperé más. No pude ya aguantar ni un solo instante más su triste y fiel mirada. Cerré los ojos y apreté el gatillo y escuché cómo el disparo retumbaba entre las casas, brutal e interminable. Por fortuna, el cartucho le destrozó completamente la cabeza. Era el último que me quedaba. Lo guardaba para ella desde hacía varios años.

18

Conmigo nadie tuvo ese detalle. De mí, nadie se acordó, ni siquiera a la hora de matarme.

Me dejaron aquí completamente solo, abandonado, royendo como un perro mi propia soledad y mis recuerdos.

Me dejaron aquí como a un perro sarnoso al que la soledad y el hambre acaban condenando a roer sus propios huesos.

Si yo hubiera hecho lo mismo con la perra; si yo no hubiera conservado hasta el final un último cartucho y el valor suficiente para matarla, ella misma hubiera terminado por roer mis propios huesos. Ella misma hubiera aquí subido cualquier día para saciar su hambre en mi esqueleto.

Porque ni siquiera muerto me habría abandonado. Ni aun después de varios días de no verme ni de oír mis pisadas por la casa la perra se habría ido de Ainielle a buscar en otro pueblo otro dueño y otra casa. Se habría quedado ahí, sin moverse un solo instante del portal, vigilando de día las entradas del pueblo y aullándole a la luna por las noches. Y, un día, cuando todo acabase, cuando ya no pudiera sostenerse en pie siquiera y su boca y sus ojos comenzaran a nublarse, se tumbaría en un rincón, igual que yo esta noche, para esperar a solas la llegada de la muerte.

Fue lo mismo que hizo el perro de Gavín, aquel viejo ovejero que compartió con él los quince últimos años de su vida y que, a su muerte, quedó solo, igual que Adrián el Viejo, sin casa, sin dueño y sin ovejas. Durante varios días, el perro estuvo tumbado ante la puerta, sin apenas moverse de su sitio, aullando tristemente día y noche. Sabina y yo le llevábamos a veces un trozo de pan duro o los restos de los huesos que la perra, cachorra todavía, no quería. Pero él no tocaba la comida. Ni siquiera nos dejaba acercarnos a la casa cuando íbamos a dársela. Teníamos que dejársela en un plato, en la esquina de la calle, mientras él nos gruñía, amenazante, desde lejos. Una noche, no pude aguantar más sus gemidos lastimeros y salí con la escopeta dispuesto a rematarlo. Pero estaba muy oscuro y me falló la puntería. El perro huyó sangrando y aullando de dolor y, durante tres o cuatro días, seguimos escuchando sus aullidos en el monte hasta que, desangrado ya del todo o devorado por los lobos, se acallaron para siempre, una noche, de repente.

Es lo mismo que, dentro de muy poco, ocurrirá también conmigo. ¿O qué soy yo, sino ya más que un perro? ¿Qué he sido yo estos años, aquí solo, sino el perro más fiel de esta casa y de Ainielle?

Durante todos estos años, aquí solo, olvidado de todos, condenado a roer mi memoria y mis huesos, he guardado día y noche los caminos de Ainielle, sin permitir que nadie se acercase al pueblo. Durante todos estos años, aquí solo, igual que un perro, he visto transcurrir los días y los meses esperando que un día se acordase de mí el único que puede hacer conmigo lo que yo he hecho esta mañana con la perra.

19

Nunca le tuve miedo. Ni siquiera de niño. Ni siquiera la noche en que la lluvia amarilla me enseñó su secreto.

Nunca le tuve miedo porque siempre supe que él también es un pobre y solitario cazador de perros viejos.

Incluso, alguna vez, al ver que no llegaba, pensando que, quizá, también él se había olvidado de que yo seguía viviendo, yo mismo estuve a punto de intentar lo que Sabina y él debían haber hecho hace ya tiempo. Pero no tuve fuerzas. Ni siquiera llegué a llevar mi intención más allá del puro y simple pensamiento. Siempre, en el último instante, me faltó la entereza que habría necesitado para apretar el cañón de la escopeta entre los dientes y sentir cómo el cartucho me volaba la cabeza.

Pero a él nunca le tuve miedo. A él, al cazador de perros, le he llamado muchas veces en la noche, a lo largo de todos estos años, pidiéndole que hiciera conmigo de una vez lo que yo he hecho esta mañana con la perra.

Ha tardado mucho tiempo, sin embargo, en escucharme. Mucho más del que yo mismo creía que sería capaz de soportar. Tanto tiempo le he esperado que, ahora incluso, tengo miedo de que todo sea un sueño del que, dentro de muy poco, nuevamente me sacará el amanecer.

Pero no. No es un sueño. Es él el que me llama por mi nombre en el silencio de la noche. Es él el que ya viene subiendo la escalera lentamente. El que atraviesa el pasillo. El que se acerca a esa puerta que está frente a mis ojos, pero que yo no puedo ya siquiera ver.

20

Alguien encenderá una vela y alumbrará con ella las cuencas de mis ojos ya vacías. La dejarán en la mesita, al lado de la cama, y, luego, se irán todos dejándome aquí solo nuevamente.

Pasarán toda la noche en la cocina. Encenderán el fuego —después de tantos días— y esperarán a que amanezca todos juntos, contando los minutos y las horas, una a una. Mientras la noche siga, nadie se atreverá a volver hasta aquí arriba para ver si la vela continúa aún encendida. Hasta que llegue el día, nadie se atreverá siquiera a salir de la cocina. Se quedarán toda la noche allí sentados, todos juntos en torno de la lumbre, sin ánimo siquiera para contar historias y sucesos que les ayuden a entretener la espera, igual que de costumbre, y sin saber tampoco que la sombra de mi madre está a su lado, sentada junto a ellos al arrimo de la lumbre.

Cuando amanezca, después de tantas horas esperando en la cocina, saldrán todos a la calle nuevamente con la extraña sensación de haber vivido una oscura e interminable pesadilla. Alguno, incluso, pensará por un instante, aspirando el aire fresco y penetrante de la escarcha, que la noche que ha pasado en esta casa sólo ha sido un mal recuerdo de otras noches que creía ya olvidadas entre las brumas de su infancia. Pero la llama de la vela, en la ventana, se encargará de recordarles que yo sigo aquí arriba. La llama de la vela y, también, el olor a fruta muerta y corrompida que seguirá envolviendo esa mañana todavía, igual que ahora, al manzano poseído por la sangre de Sabina. Y, entonces, sin perder un instante, como si todo lo tuvieran ya previsto de antemano, varios de ellos irán a buscar tablas por las casas —tablas rotas, levantadas, que acabarán de arrancar de las puertas y los pisos— mientras el resto vuelve aquí para bajarme a la cocina envuelto en una manta.

No estaré allí más que el tiempo que tarden en construir la caja. Ni siquiera tendré, seguramente, que esperar a que llegue el resto de la gente de Berbusa. Porque nadie irá a buscarla. Nadie se acordará siquiera de bajar hasta Oliván para pedirle al cura que suba hasta aquí arriba a darme sepultura. Cuando la caja esté acabada, ellos mismos me llevarán a hombros, en silencio, por la calleja ya cegada de matojos y de ortigas, hasta la tumba que he cavado esta mañana al lado de Sabina y de mi hija. Ni siquiera rezarán una oración. Me cubrirán de tierra con la pala que he dejado allí olvidada y, en ese mismo instante, para mí y para Ainielle, todo habrá concluido.

Ellos quizá se queden todavía algunas horas en Ainielle, recorriendo las casas en busca de herramientas y algún mueble o alguna cama que aún pudieran servir para las suyas. La soledad del pueblo y el saber que yo estoy ya bajo la tierra sin duda les habrá tranquilizado. Quizá, incluso, esperen a acabar de registrar todas las casas antes de regresar. Pero, al caer la tarde, cuando el viento empiece ya a batir un día más las ventanas y las puertas por las calles, recogerán sus cosas y emprenderán la vuelta hacia Berbusa.

Así, cuando lleguen al alto de Sobrepuerto, seguramente habrá empezado otra vez a anochecer. Sombras espesas avanzarán como olas por las montañas y el sol, turbio y deshecho, lleno de sangre, se arrastrará ante ellas agarrándose ya sin fuerzas a las aliagas y al montón de ruinas y escombros de lo que, en tiempos, fuera (antes de aquel incendio que sorprendió durmiendo a la familia entera y a todos sus animales) la solitaria Casa de Sobrepuerto. El que encabece el grupo se detendrá a su lado. Contemplará las ruinas, la soledad inmensa y tenebrosa del paraje. Se santiguará en silencio y esperará a que los demás le den alcance. Y, cuando todos estén juntos, junto a las viejas tapias del caserón quemado, se volverán al tiempo para ver cómo la noche se apodera un día más de las casas y los árboles de Ainielle, mientras alguno de ellos se santigua de nuevo murmurando en voz baja:

—La noche queda para quien es.